5分後に笑えるどんでん返し

エブリスタ 編

Hand picked 5 minute short,
Literary gems to move and inspire you

5分
シリーズ

河出書房新社

目次

Contents

［カバーイラスト］きぬてん

エブリスタ × 河出書房新社

［ 5分後に笑えるどんでん返し ］

Hand picked 5 minute short,
Literary gems to move and inspire you

美術展にて

Zens

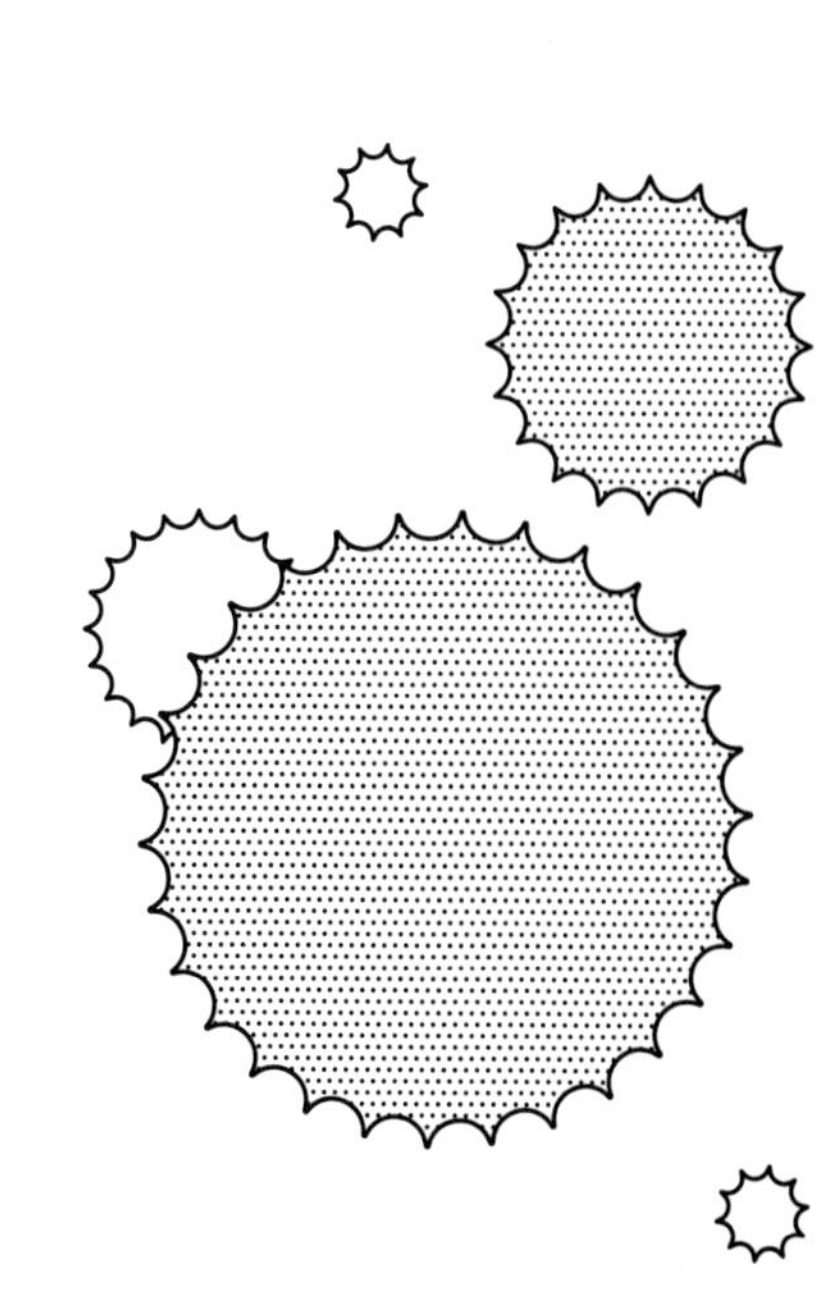

とある美術館で「古代ローマ美術展」が三日間開催された。ボクは場内警備のアルバイトとして参加したのだが、さほど広くはないスペースに次々と絵画や彫刻が運び込まれ、業者の手によって夜のうちに設営作業は完了した。

三連休を利用したイベントではあったが特に目玉となる作品があるわけでもなく、それでも連日百名程の来場客を記録した。

そんな中、一人で二日連続で通い続けた男の子がいた。その子は決まって彫刻をジーッと眺めていた。

こんな小さい頃から美術に興味を持つなんて、これは将来ミケランジェロに匹敵するような芸術家になるやもしれないな……冗談半分だが思った。

三日目もその子はやって来て、彫刻を飽きもせずにジーッと眺めている。

やがて閉館時間の午後六時が近付き、閉館を知らせるアナウンスが聞こえた。

すると、その子が突然彫刻に向かって話し掛けた。

「お父さん、もう帰ろうよ」

すると、その子に話し掛けられた彫刻がボソッと呟いた。

「まだあと少しだよ」

どういう事情でそうなったのかは知らないけども、三日間彫刻になり切ったパントマイムの人を、ボクはスゲエと思った。

[5分後に笑えるどんでん返し]

Hand picked 5 minute short,
literary gems to move and inspire you

初めてのSNS

タッくん

スマホが欲しかった。

周りのみんなは当然のように持っている。俺の家にはパソコンがないし、スマホだって持たせてくれない。ＬＩＮＥで友達と絡んだり、Ｔｗｉｔｔｅｒで知らない世界を楽しんでみたかった。

必死に親を説得するが、中学生の俺には早いと言って聞く耳を持たない。ゲームで過剰な課金をしたり、ＳＮＳで騙されて事件に巻き込まれる可能性があると言うのだ。

確かにゲームの課金問題は後を絶たない。ＳＮＳで騙されたり、炎上して心を病んだりという話もよく聞く。

でも俺は、アプリのゲームで遊んでみたい、ＬＩＮＥで友達と交流したい、Ｔｗｉｔｔｅｒという未知の世界を体感したい！

欲望は尽きることなく、親を一年以上説得し続けた結果、とうとう中学三年生の夏にスマホを手に入れた。

そう、俺の時代が来たんだ……

早速、仲の良い友達のＬＩＮＥ登録を行う。すぐに既読がついて返事が来た。面白い。いつでも遊ぶ約束ができると感じて、テンションが上がる。

そして、Ｔｗｉｔｔｅｒも始めることにした。ＬＩＮＥと違う架空の偽った自分を作ろう……そう考えてアカウントを作成する。

アカウント名はブルーアイ。中二病と言われても気にしない。友達には知らせないから大丈夫だ。

ブルーアイは高校三年生で、バスケ部のエース。天使の羽が背中に見えると言われるほどのジャンプ力で、得意なシュートはダンクシュート。最近、勝手にファンクラブができたから困っている……やり過ぎかな？　まあいいや。

こんな嘘くさいＴｗｉｔｔｅｒにフォロワーがつくはずなどない。そう笑っていると、フォロワーが一人できた。名前はミーちゃん。中学生？　高校生だろうか？

俺のことをアイ君と呼んでくれて、一つひとつの反応が可愛らしく妄想が膨らむ。

調子に乗って、漫画に出てきそうなイケメン男子を演じ続けてみた。

『バスケの試合で怪我をしちゃってさ、残り五分で無理やり出場して、奇跡の逆転シュートを決めたよ』

『凄い！　アイ君、カッコいいね。でも無茶はダメだよ』

『大丈夫さ。この大会が終わったら、秋にある文化祭までゆっくり休むつもりだからね。ギターの練習をして、ライブでもやってみようかな？』

『アイ君なら似合いそう！　あっ、でも……これ以上アイ君のファンが増えたら淋しいな』

『そう？　じゃあ、ミーちゃんのためだけにギターを練習しようかな？』

『えっ、ほんとっ!?　すっごく嬉しいよ！　見たい！　見たいよ！』

ヤバイ……ミーちゃんが可愛くて悶える。俺の中では、ツインテールの美少女が確立されていた。

『ミーちゃんってさ、どんな髪形してるの？』

『えっ？　特に決まってないけど……アイ君はどんな髪形が好きなの？』

『ツインテールとか可愛いよね』

『ツインテールか……私もツインテールにしようかな？』

キターーー!!　ツインテールの美少女……想像するだけで鼻血が出そうだ！　是非、ゴスロリで写真をアップしてほしい！

『ゴッ……ゴスロリなんて……にっ、似合うかも……なーんて、あははは』

『アイ君、そんな趣味があるの？』

『じょっ、冗談だよ！』

直接話してないのに、声と一緒に文字まで上擦ってしまう。


そんなやり取りが一カ月以上続いた。その間にブルーアイは変化し続ける。

高身長でバスケ部のエース。ギターの才能を開花し、ライブチケットは即完売。親が金持ちで専属のメイドがいる。俳優としてスカウトもされ、スポーツ、音楽、俳優、どの道を進むかが悩みの種。最近では神が与えた才能の数々が疎ましくも感じて……

……

……

誰(だれ)だ、こいつは!?　俺じゃないことだけは確かだ！

そして、恐(おそ)れていたことが起きてしまった。

『アイ君に会いたいな……』

キター――!!　いや、来ちゃ駄目(だめ)なんだよ！　会えるわけないだろ!?

『ちょっと忙(いそが)しくてね。会えないんだ』

『一目だけでいいから』

『本当に無理なんだよ』

『大丈夫よ』

なにが大丈夫なんだ？

『じゃあ、今から行くね』

……えっ？　俺の所へ？　冗談だよね？　分かるはずないよね？

『ちょっと待ってよ！』

……

……

もしかして、住所が特定されるキーワードをつぶやいていたのか？　どうしよう？　冗談だよって言ってくれ！　なんで反応がなくなったんだ!?

とにかく逃げよう。財布とスマホをポケットに入れ、部屋を飛び出そうとする。

しかし、部屋の外から漂う異様な雰囲気を感じて立ち止まった。

誰かいる……少しだけドアが開き、隙間からツインテールらしき髪が見えた。

「ひいっ！」

視線を逸らして窓から逃げ出したいけど、金縛りにあったかの如く動けない。

不気味な音を立てながら、ゆっくりとドアが開いていく。そこには……

ツインテールで、ゴスロリファッションのオカンが立っていた。

「……ＳＮＳって恐ろしいでしょ？」

……

……

中二病な自分。

恥ずかしい台詞をオカンにつぶやいていた自分。

女の子の趣味まで暴露した自分。

そして、ツインテールのゴスロリオカン。

その後、ゴスロリのオカンを見て、泡を吹いて倒れたオトン。

この夏、俺は色々な意味で人生最大の恐怖を味わった。

［　5分後に笑えるどんでん返し　］

Hand picked 5 minute short,
Literary gems to move and inspire you

栞子（しおりこ）は振（ふ）り返らない

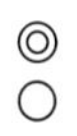

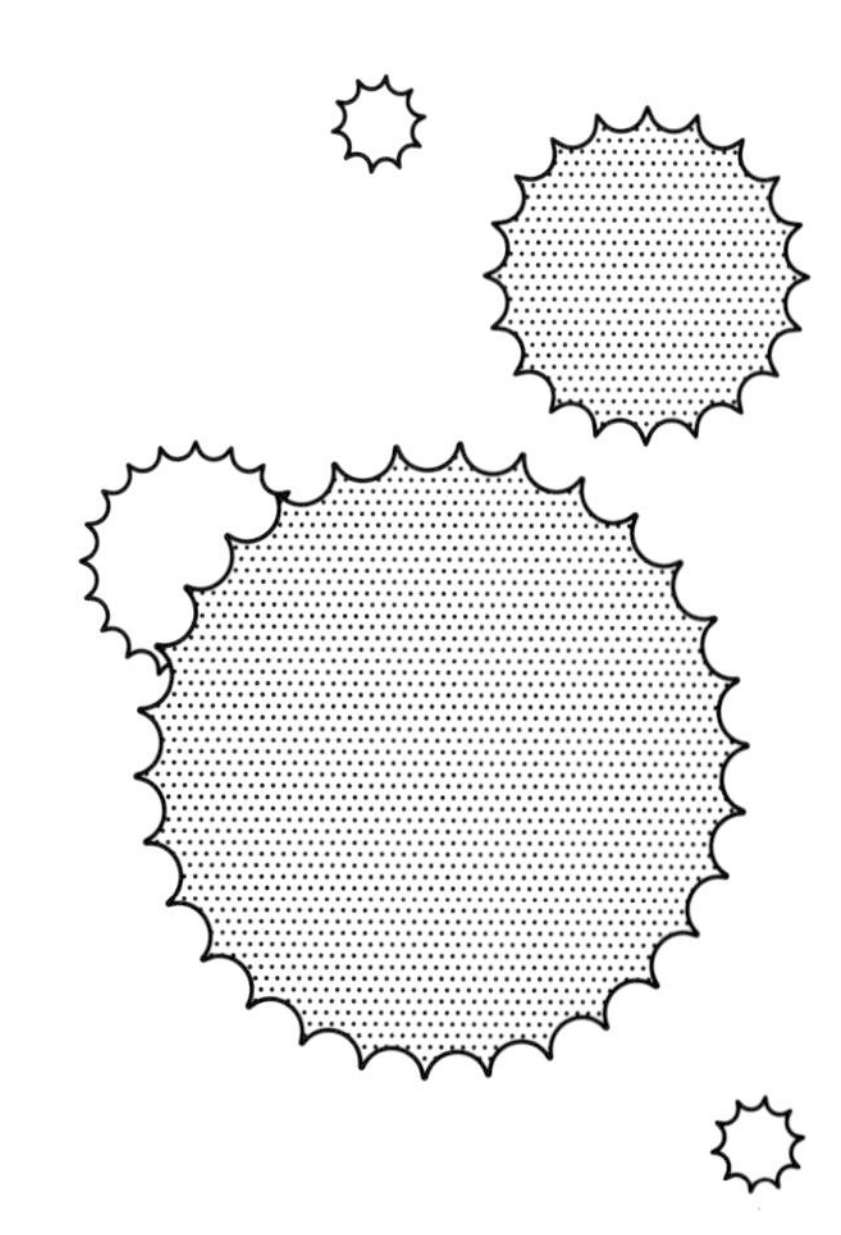

私の名前は栞子。
本名じゃない。
そう呼ばれてるだけ。
今日も大好きな本屋さんに行った。
お気に入りの本を手に取る。
そして——

お気に入りの箇所に栞を挟む。
物語のクライマックス。
犯人が分かるページに。

本屋「栞子が出たぞー!!」

［5分後に笑えるどんでん返し］

Hand picked 5 minute short,
Literary gems to move and inspire you

せめてダンディに

タッくん

日常

私はハゲている。
スキンヘッドではない。
未練がましく頭の両サイドには薄い髪の毛が生えているのだ。
仕事と寝る時以外は常に帽子を被っている。
もちろんハゲを隠すためだ。

私の名前は磯ヶ谷平次郎。
五十三歳。
結婚もしているし、子供も二人いる。
それどころか孫だっている。
でもハゲてしまった。

「人は見た目じゃないよ」

母は常にそう言い続けて私を育てた。

急に母に会いたくなった私は実家へと足を運んだ。

実家に帰ると居間でくつろぐ。

すると母がコーヒーを持ってきた。

そして私の被る帽子をじっと見つめ、暑いでしょと言って急に帽子を取り上げる。

母はこう言った。

「うわっ……」


さらに時間をおいてこう言った。

「……ごめん」

私はタバコを片手にコーヒーを飲む。


せめてダンディであるために……

月曜日

私は仕事をしている。

仕事はデスクワークだ。

もうすぐ定時になる。

窓から差し込む西日がそう教えてくれるのだ。

机の上の書類を整理して帰る準備をしていると、二十代の若い部下が書類を持ってきた。

私は頭を下げて文字の小さい書類に顔を近づける。

老眼だろうか？　最近は小さい文字が読めない。

その時、私の横から悲鳴が聞こえた。

「きゃあ！」

私の頭に反射した西日が、女性社員の目を直撃したのだ。

そして若い部下は爆笑しながらこう言った。

「漫画の必殺技みたいで最高でしたよ！」

私は喫煙室でタバコを片手にコーヒーを飲む。


せめてダンディであるために……

火曜日

今日は祝日。

会社は休み。

私は居間で新聞を読み、昼間からビールを飲んでいた。

すると娘が一歳の孫を連れてやってきた。

「お邪魔しまーす……あれっ、お父さん昼間からお酒飲んでるの？　まあいいや、ちょっとこの子お願い！」

娘はそう言うと、孫を私の膝に置いてトイレに駆け込んだ。

「あだっ、あだっ！」

孫はとても可愛い。何を言っているのか分からないが、私は笑顔になる。

しかし、急に孫が暴れ出した。

母親がいないことに気付いたのだろう。

私は慌てながらテーブルにあるミカンを孫に渡した。

孫は両手でしっかりとミカンを持ってじっと見つめる。

落ち着いた孫を見て安心していると、次の瞬間とんでもないことが起こった。

孫がビールの缶の上にミカンを置いた……つまりアルミ缶の上にミカンを置いたのだ。

私は台所にいる妻を大声で呼んだ。

「母さん、これを見てくれ！　早く！」

「はいはい、今行きますよ」

妻がトイレから出た娘と一緒に居間へとやってきた。

「これを見てくれ！　アルミ缶の上にあるミ……」

そう言い掛けた時、娘がミカンを掴んだ。

「あっ、喉が渇いてたんだ。ミカン貰うね！　……おいしーっ！　……で、何を見ればいいの？」

「……すまん。勘違いだった」

ショックを受けた私は喫茶店へと足を運びコーヒーを注文する。

そして窓際の席に座ってこう呟いた。

「あんな奇跡……二度と起こるまい……」

私はタバコを片手にコーヒーを飲む。


せめてダンディであるために……

水曜日

「おかえり」

「お邪魔してます」

「おじいちゃん、お帰りなさい！」

仕事が終わって家に帰ると、小学生の孫を連れた息子夫婦が食事をしていた。

「いらっしゃい。ゆっくりしていきな」

私もテーブルを囲み食事を取る。

娘と違い息子は早くに結婚したため、私には小学生の孫もいるのだ。

小学生ともなると少し生意気だが、やっぱり孫は可愛い。

私は孫の機嫌を取りたくて話し掛けた。

「もうすぐボーナスが入る。何が欲しい？　自転車か？　ラジコンか？　おじいちゃんに言ってみな」

すると孫は遠慮がちにこう言った。

「うーん……消しゴムでいいや」

私はタバコと缶コーヒーを持って家の外に出た。

そして私は呟く。

「そんなに甲斐性がなさそうなのか……」

風に吹かれながら、タバコを片手にコーヒーを飲む。


せめてダンディであるために……

木曜日

今日は月に一度の外食の日。

妻と二人で近くのファミリーレストランに入った。

妻の好意に甘えて喫煙席へと座る。

「いらっしゃいませー！　ご注文はお決まりですか？」

……決まっているはずなどない。席に着いたばかりだぞ。

やけに元気で甲高い声の店員が下がり、メニューをじっと見る。

暫くして注文が決まり、店員を呼んだ。

「ご注文をどうぞー！」

「和御膳定食をお願いします」

妻はお年寄りに人気のメニューだ。

「……目玉焼きハンバーグとライス」

子供のような注文になってしまった。どうしても食べたくなったのだ。

「あっ、ホットコーヒーも下さい」

ちょっと恥ずかしくなった私は、食後に頼もうとしていたコーヒーも先に頼んでしまった。

——十分後。

妻の和御膳、私のコーヒーが運ばれてきた。

——十五分後。

私のライスが運ばれてくる。
——三十分後。
妻が食事を終えた。
——四十五分後。
私の前には冷めてしまったコーヒーとライス、それにナイフとフォーク。
以上。
……どうしろと？
私はタバコを片手にコーヒーを飲む。
せめてダンディであるために……

金曜日

今日は会社の飲み会。

私は余興で恒例となったマジックを披露する。

……

……

誰も見ていない。

余興が終わり、私は席に戻って黙々とビールを飲み続けた。

すると部下の若い社員が酔っぱらいながら酒を注ぎにきた。

「最高でしたよ、あの歌声！」

私は歌っていない。歌っていたのは伊藤課長だ。

そんなこんなで飲み会は進んでいき、私はトイレに入った。

飲みすぎたらしい。私はトイレから出られなくなってしまった。

遠くから一本締めの音が聞こえる。

やっとのことでトイレから出ると店員が声を掛けてきた。

「団体のお連れ様はみんな帰られましたよ」

私は近くのコンビニに入り、酔い覚ましの缶コーヒーを買う。

そしてコンビニの前でタバコを片手にコーヒーを飲む。

せめてダンディであるために……

土曜日

今日は接待ゴルフ。

私のスコアはいつも平凡(へいぼん)だ。

だからこそ接待ゴルフに呼ばれるのだろう。

今日は思いのほか調子が良く、取引先の社長とは三打差で最終ホールを迎(むか)えた。

このままギリギリで社長に勝ってもらい、気分良く帰って頂こう。

そう考えていた私に奇跡が起きた。

ホールインワン。

この奇跡に私は飛び跳(は)ねて喜んだ。

しかし次の瞬間、私は非情な現実に戻された。

「君の会社との取引は考え直させてくれ」

私は休憩所でタバコを片手にコーヒーを飲む。


せめてダンディであるために……

日曜日

朝っぱらから家を追い出された。

掃除の邪魔だから昼まで帰ってこないようにと念も押された。

「生きるのって大変だな……」

私は公園で呟いた。

――やがて昼になり、私は家へと戻った。

暗い気持ちのまま玄関に入ると、たくさんの靴が並べられている。

その時、急に激しい音がパーンと鳴り響いた。

「お誕生日おめでとう!!!」

妻と息子夫婦、それに娘夫婦と孫たちが私の視界に入る。

激しく鳴り響いた音は息子たちが鳴らしたクラッカーの音だった。

私にとって涙が出そうになるほど嬉しい時間が過ぎていく。

そして食事を終え、みんなでケーキを食べている時に孫がこう言った。

「おじいちゃんってダンディでかっこいいよね！」

全員がそうだねと言わんばかりに頷いている。


私の名前は磯ヶ谷平次郎。

五十四歳。

今日もタバコを片手にコーヒーを飲む。

せめてダンディであるために……

［5分後に笑えるどんでん返し］
Hand picked 5 minute short,
Literary gems to move and inspire you

感染ゲーム

haori

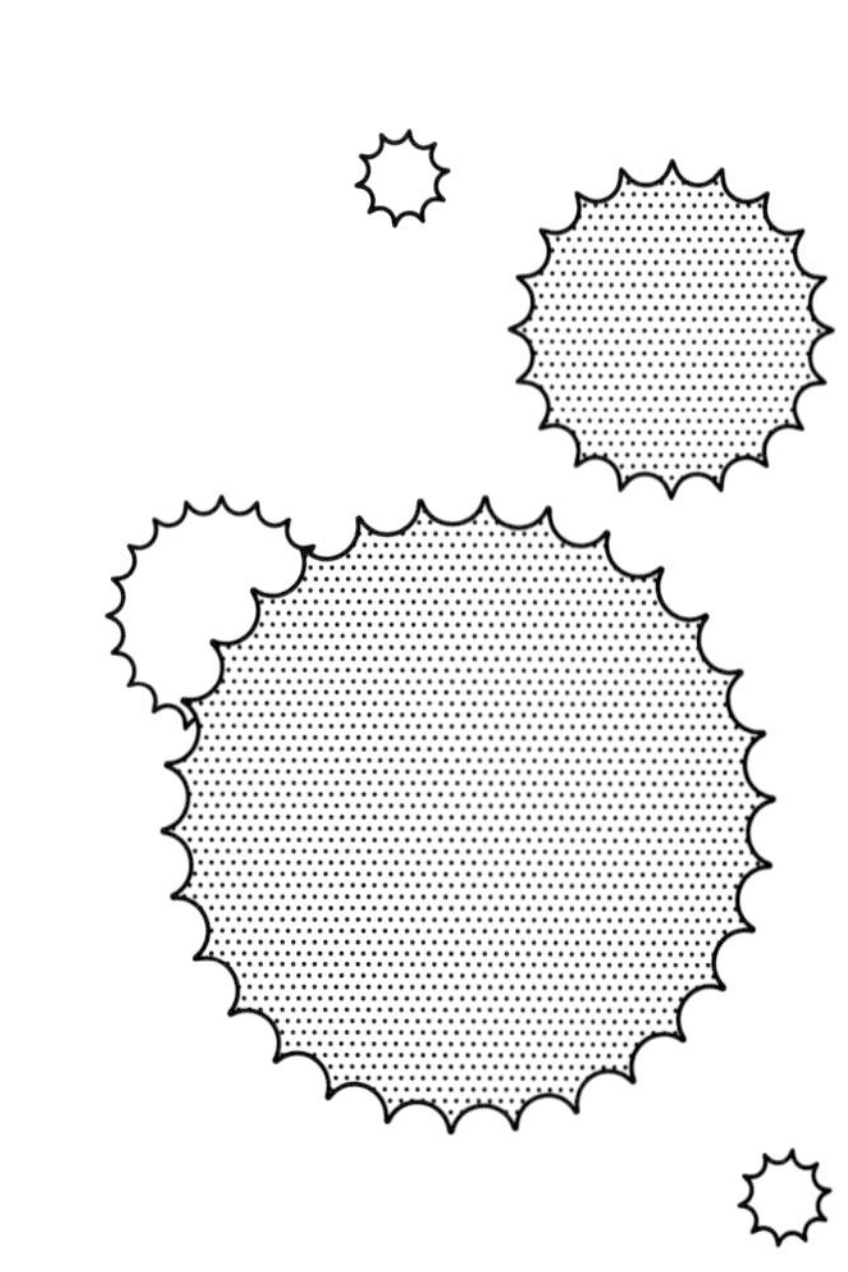

「よーし！　全員動くなー！」

昼休みも半ばを過ぎた頃、その声は突然、教室中に響き渡った。

廊下に出ようと教室の出入口前にいた僕は反射的に振り返り、声の主を視界に入れた。

桧山亮――そいつが声の主。桧山はこのクラスのカーストにおいて最上位の人間だ。

窓際の自分の席にいた桧山は、あるゲームの開始を宣言した。その途端、野郎ばかりのクラスメイトたちがざわめいた。しかしそのざわめきは、桧山の鋭い視線によって抑えつけられ、教室の中は一転、静寂に包まれた。

そしてゲームは始まった。

☆

昼休みという時間は、通常、教室の出入りの激しい時間で、教室内にクラスメイト全員が揃っていることは、実はあまりない。

だが桧山が動くなと言ったとき、奇跡的にクラスメイト全員が教室の中に揃っていた。

……いや、それを見計らって、桧山は動くなと言ったのか——。

桧山が始めたゲームのせいで、教室の出入口前から動くに動けなくなった僕は、手持ち無沙汰だったと言うわけではないが、取りあえずできることもなく、ゆえにそんなことを考えることに時間を費やした。しかしそれでも、まだまだ時間はありそうだった。

桧山のゲームは、高校生がやるものとして適当とは思えない、低能と呼ぶに然るべきもので、ゲームのプレイヤーはクラスメイト全員。

と言っても、全員が一斉に始めるわけではない。ゲームは始めたある一人から、次々に別の人間に伝わっていく、言うなれば感染方式で広がり、その感染はクラスの全員に広がるまで終わらない。

桧山はそのことを説明すると、自らゲームの口火を切った。つまり、大元の感染源となったのだ。

桧山はゲームを始めてから少しすると唐突に、目の前にいたやつを指差した。そいつは桧山の取り巻きの一人で、真壁といった。

桧山の指差しは、イコール次のプレイヤーの指名。新たなプレイヤーとなった真壁は、ゲームを始めて少しすると、桧山がしたのと同じように、隣にいた品川を指差した。これで品川が真壁の次のプレイヤーになったわけだ。ちなみにこの品川も桧山の取り巻きの一人だ。

その品川もまた、前の二人と同じことをした。ゲームを始めて少しすると、隣にいた、やはり桧山の取り巻きの一人の中西を指差し、そうやってゲームを感染させる。

同じことが何度か繰り返され、桧山の取り巻き全員にゲームが感染し終えると、次に、カースト的に中間層に属するやつらへと感染は広がっていった。

取り巻きたちのように桧山にこびへつらうわけではないが、しかしだからと言って、桧山に逆らうこともできないそいつらは、桧山やその取り巻きたちのように指差すのではなく、目配せによって近くの人間にゲームを感染させた。そうしてそいつらの間でも、ゲームはまったく滞ることなく進んでいった。

……いや。滞らせてはダメなのだ。滞らせたら、その時点でゲームオーバー。必ず、ある一定のリズムで進んでいかなければならない――桧山のゲームはそういうものだったから。

中間層全員に感染が広がると、次にゲームは僕も含む下層へと感染し始めた。

下層においても、感染のさせ方は中間層と同じ、目配せだった。だが、中間層よりも目配せは控えめで、感染する相手を見る目は窺うようだ。

一人、また一人と、下層の人間たちも感染していくのを見ながら、いつ自分に感染してくるものかと、僕は内心怯えていた。別に感染したところで体に支障が出るわけでもないので、怯えるのはそういうことを心配してではなく、感染後、もしゲームを滞らせるような真似をしたらどうなるかと考えてしまい、その想像に怯えたのだ。

そしてとうとう、僕に感染するときが来た。教室の隅の出入口前という場所が悪かったのか、僕が最後の感染者だった。プレッシャーが半端なかった。

僕の前の感染者――クラスの中で一番仲がいい中嶋からの目配せを受けた僕は、ごくりと唾を飲み込みたい衝動を必死に堪えて(だって、唾を飲み込んだらリズムを崩してしまうから)、それまでの感染者同様、口を開き声を出した。

「……静かな湖畔(こはん)の〜♪」

☆

「よっしゃ！　クリアだ！」

桧山がそう声を上げた。嬉(うれ)しそうな桧山に合わせて、取り巻きたちが笑う。

中間層のやつらは、桧山や取り巻きたちに顔を見せないようにして、揃って、アホくさという顔をした。残りの下層の人間たちは、そっと息をついたり、何とも言えない表情をしたり。そして僕はと言えば――

もう二度と、こういう小学生みたいなことを始めるのはやめてくれ。

そう切に願った。

そして僕はその場を離(はな)れ、桧山のせいで我慢(がまん)しなければならなかった尿意(にょうい)を処理するため、急ぎトイレへと向かうのだった。

［ 5分後に笑えるどんでん返し ］

Hand picked 5 minute short,
literary gems to move and inspire you

お前に世界の半分をくれてやろう

オヨビゴシ

一つ目の半分

「お前に世界の半分をくれてやろう」

よーし、わかった。うん、おーけーおーけー。俺は冷静だ。

確かに、俺には使命がある。目の前の魔王を倒して、世界を救うという重大な使命だ。

この使命に対して、世界中はおろかご先祖様や精霊たちも俺に期待している。だから魔王を倒すことは絶対にやり遂げねばならないんだ。

だから常識的に考えて、この提案に乗るわけにはいかない。当たり前だ。世界の半分をくれる、ということは、言いかえれば残りの世界半分は魔王の好きにするという意味だ。これはいけない。

魔王は他人の命なんて何とも思ってないからな。たとえ半分でも世界を与えたらどんな非道なことを行うかわかったもんじゃない。

でもこの思考はダメだ。クールにいこう、クールに。こういうときこそ冷静になるべきだ。

確かに、俺は世界を救いたいと思っている。そのためにたくさんの人々の協力を得て今ここにいる。

しかし、だ。本当に世界の全てを救う必要があるのか、と少しだけ疑問が残っている。世界は全て優しいわけではない。

犯罪が横行している街もあった。すでに壊滅している平地もあった。ムカツク奴がいる村も知ってるし、俺をカジノでハメた奴もいる。

そんな奴らも含めて全てを救うのが俺の使命なのか？　少し悩むところだ。

それに世界を救った後も問題だ。目の前のこいつを倒せば、俺は世界を魔王の手から救った勇者として崇めたてられるだろう。世界中が大喜びするだろう。でもそれだけだ。

俺が世界を救ったところで、世界は結局王様のものだし、平和にこそなれ普通の日常が続くだけだ。

翻(ひるがえ)って俺はというと、世界を救った勇者様としてもてはやされるだろうが、それだけで今までの生活は変わらないだろう。むしろ魔物が減る分、俺の仕事が減ってしまうかもしれない。これは困る。

それに、魔王の挙動がめちゃくちゃ気になる。

マントの裏側に何か隠(かく)しているようだし、明らかに力を溜(た)めているようにも見える。俺がノーと言った瞬間攻撃(しゅんかんこうげき)してくるのだろう。

確実に魔王に勝てるとは限らない以上、たとえ半分でも確実に世界を救ったほうがいいのではないか。

うん、決めた。俺は世界の半分を取る！　よし、魔王。俺と手を組んで世界を支配しようぜ！

「わかった。ではお前には世界の半分、男の世界をやろう」

……ああ、今聞こえた変な声は俺のか。マジかよ。

二つ目の半分

「お前に世界の半分をくれてやろう」

「ええ、わかりました。では世界の半分を戴きたいと思います」

「お、おう。随分と物わかりがいいな。それでこそ私が認めた……」

「そんなお世辞はどうでもいいので、話を進めましょう。まず世界の分け方についてですが……」

「え、分け方？　普通に半分でいいんじゃないか？　ほら、この地図のここら辺をズバッと等分に……」

「何を言っているのですか？　それだと、そちらは海に面している土地が多い分、漁業関係で有利になるじゃないですか。対してこちらの半分では砂漠が大きく占めています。これでは半分とは言えません。そっちが有利すぎます」

「あ、そう？　じゃあ私はあまりこだわらないから、逆でもいいけど……」

「何を言っているのですか？　それだと、そちらの世界に盆地や森林が多い分、農業や林業等で有利になるじゃないですか。対してこちらは極圏や人跡未踏の大海原があります。これでは半分とは言えません。そっちが有利すぎます」

「……お前こそ何を言ってるんだ。どっちも有利と言うのならばどっちでもいいじゃないか。何を変にこだわって」

「こだわるのは当然でしょう？　世界は一枚岩ではありません。たとえ遠くの地であっても、何かしらの影響は与えあっているのです。ゆえに世界を半分に分けるのならその後の展望も考えて分けないと話にならないでしょう？　まず間違いなく私とあなたは交易をする間柄になるのですから、条件は平等でなければなりません」

「いや、まあ言い分は確かだが……。私はてっきり面積で半分ならそれでいいと思ったんだけれどな」

「いくらなんでも考えがなさ過ぎると思いますよ。じゃあ私が一方的に有利なように面積の半分を戴きます。ええと、ここはここまでで、ここら辺も貰って……」

「おいおいちょっと待て！　緑の多い平地や海沿いばかり選んで、海のど真ん中や高い山だけを避けるのは良くないだろう!?　砂漠だけピンポイントでこっちに押し付けるな！」

「だから言ったでしょう。平等に分けるには話し合いが不可欠ですって。でも困ったことに、どうすれば平等になるかはなかなか難しいところです。どうしたらいいか……」

「……わかった。ならばお前が等分だと思えるように土地を分けろ。そして私が先に選ぶ。これなら平等だろう?」

「……なるほど、それはいいですね。わかりました、そうしましょう」

三つ目の半分

「お前に世界の半分をくれてやろう」

「いやよ、たった半分なんて」

「贅沢(ぜいたく)を言うな。半分でも人の身には十分すぎるほどだろう?　それとも私と戦って、全てを奪(うば)うつもりか?」

「ええ、ある意味戦いね。でもそれでもいいの。私は勝てる自信あるから」

「ほう、そうか。ならばその美しい顔を恐怖に歪ませてやろうか。さあ、さっさと武器を構えろ。決着をつけてやろう！」

「武器は要らないわ。あと、戦うって言っても剣や魔法で争うつもりはないわ」

「なに？　どういう意味だ？」

「簡単よ、私の負けでいいの。もし世界の全てを支配したいというのなら、好きにすればいいわ。その代わり、私は違う世界を全て欲しいの。それさえくれれば、私は何も抵抗しないわ。なんならあなたに従ってもいい」

「違う世界？　一体何の話をしているんだ」

「私は、あなたの見ている世界が欲しいの。あなたの心の中の世界に、私だけを住まわせてほしいの」

「……え？」

「一目ぼれよ。あなたの世界を私にください。半分と言わず、全てを。そうしたら、あなたに従います。ダメかしら？」

四つ目の半分

「お前に世界の半分をくれてやろう」

「え？」

「いや、だから世界の半分を……」

「ああ、それはいいんだけどさ。世界の半分って、具体的にどこ？」

「ああ、まあ具体的にはまだ決めてはいないが、この地図のここら辺から半分に切って、こっち側を私が、そっち側をお前が……」

「はあ、世界の半分、ねぇ」

「……なんだその曖昧な返事は。で、どうなのだ？　世界の半分が欲しいのか、それとも私と戦うのか!?」

「あ、いや、別に戦ってもいいんだけどさ。なんていうか、スケールが小さいなぁと思って、ちょっと落胆してたっていうか」

「は？　スケール？　何の話だ」

「いやさ、お前が『世界の半分をくれてやる!』なんて大げさなこと言うから、てっきり宇宙も含めた全ての世界を支配することを目論んでるのかなって思って、ちょっとびっくりしてたんだよね。でもいきなり世界地図を開いて『ここからここまで』みたいなみみっちいことやりだすから、さらにビックリっていうか……」

「う、宇宙だと? それは、この夜空に瞬く星々も手中に収めるということか?」

「そう! 宇宙って凄いよね。俺たちが見ているこの広大な世界が、ほんのちっぽけな片隅でしかないんだってさ! その全てを手に入れて、しかもその半分をくれるって聞いたから余りの衝撃で放心しちゃったくらいだよ! あ、ごめん。そこまでは視野に入れてないんだっけ。普通にこの星の半分だけだっけ。なんか変に期待しちゃったみたいでごめん……」

「……いや、間違ってないぞ」

「え?」

「わ、私はこの星々の全てを手に入れてみせる! そして勇者よ、お前が私の仲間になるというのなら、その半分を貴様にくれてやろうじゃないか!!」

「マ、マジかよ！　魔王、お前凄い奴だな！　そんなでっけぇこと考えてただなんて！　俺尊敬するよ！」

「ま、まあな。ガ、ガハハ、ガハハハハハッ!!」

「わかった、仲間になる！　一緒に頑張って宇宙の全てを手に入れような!!」

「魔王、ヤバイ！　金星人の連合艦隊が攻めてきた！　このままだと銀河のＸ１００以上の支配下が奪還される！　どうしよう!?」

「うろたえるな勇者よ！　私とお前ならやれる！　さあ、一緒に最強魔法を唱えて牽制をしつつ突貫だ!!」

「わかった魔王！　うおおおおお!!」

「どりゃあああ!!」

五つ目の半分

「ほら、言えよ」

「あ、は、は？」

「ほら、言いたいことがあるんだろ？　言っていいぞ、早く」

「は、はい！　お、お前に世界の半分をくれてや……あげます」

「……ハァ、まあそうだよな。そうくるよな。そりゃそうだ、当然の成り行きだ」

「は、はい。すいません」

「別に謝らなくていいよ。さすがに何回も魔王を倒しただけあって、そっちの考えも何となくわかるからさ。確かに怖いよな、勇者の俺が。絶対倒せないと思ってた軍隊や四天王を何度も撃退して、絶対に踏破できないと思っていた魔王領を突っ切ってきて、絶対進攻できないと思っていた魔王城に攻め入ってくるなんて、想定外も甚だしいもんな。そりゃ怖いよ、そんなことを実行できる化け物が目の前にいたらさ」

「え、えと、その、何と言いますか……」

「だから魔王が提案したくなる気持ちもわかるようになってきたんだよ、最近は。だって今まで倒してきた魔王もだいたいおんなじこと言ってたからな。世界の半分をあげるから平和的に解決しようとか、話し合えばわかるとか、魔王の私に敵うと思ってるのか今なら配下に加えてやろうって脅してきた奴もいたな。それに半分とはいえ世界を支配させることで、自分と同じ立場にしてしまおう、そうすれば奴は一方的に私を攻撃してはこられないだろうとか、そんな打算もあるんだろ？　実戦での戦闘能力はともかく、領地支配に関しては自分は先輩なんだから、先手を取ることができるとかそういうことも考えてるんだろ、な？」

「い、いえそんなことは、滅相もありません……」

「いいよいいよ隠さなくて、怒らないから。わかってる、わかってるんだって。確かにお前は人間の世界を脅かす魔王だけど、魔王からしたら自分の命を狙うことに特化したスーパーソルジャーが目の前にいるわけだもんな。怖くて当然だと思うよ。だからそれを提案したこと自体は怒らないよ。……でもさ、問題は別にあってな。そっちのほうが不愉快なんだよ、俺は」

「い、一体何が不愉快なのですか？」

「……お前、世界の半分をくれるっつってるけど、正直真面目に半分こにする気ないだろ？　いや、何も言わなくていい。そりゃそうだよな。自分の配下に壊滅的な打撃を与えた無法者に礼儀を尽くす必要なんてないもんな。だから契約した途端『じゃあこの不毛な大地をお前にやろう！』とか『半分は半分でも男だけの世界をやるぞ！』みたいなこと言いだすつもりなんだろ？　実際一度言われたことあるし、わかってるんだよそういうのは」

「い、いやそんなこと」

「ああ、否定しなくていいよ。もう魔王は信じない、そう決めたんだから。実際人々からも期待されてるしね。だから滅ぼさせてもらう。これは決定事項だ。じゃあな、あばよ」

「ご、ごめんなさい。最後に一つ、一つだけ言わせてもらってもいいですか!?」

「……遺言か？　なんだ、言ってみろ」

「せ、世界の全てをあなた様に差し上げますので、どうか私を見逃してくれませんか？」

［ 5分後に笑えるどんでん返し ］

Hand picked 5 minute short,
Literary gems to move and inspire you

インソムニア

神乃木俊

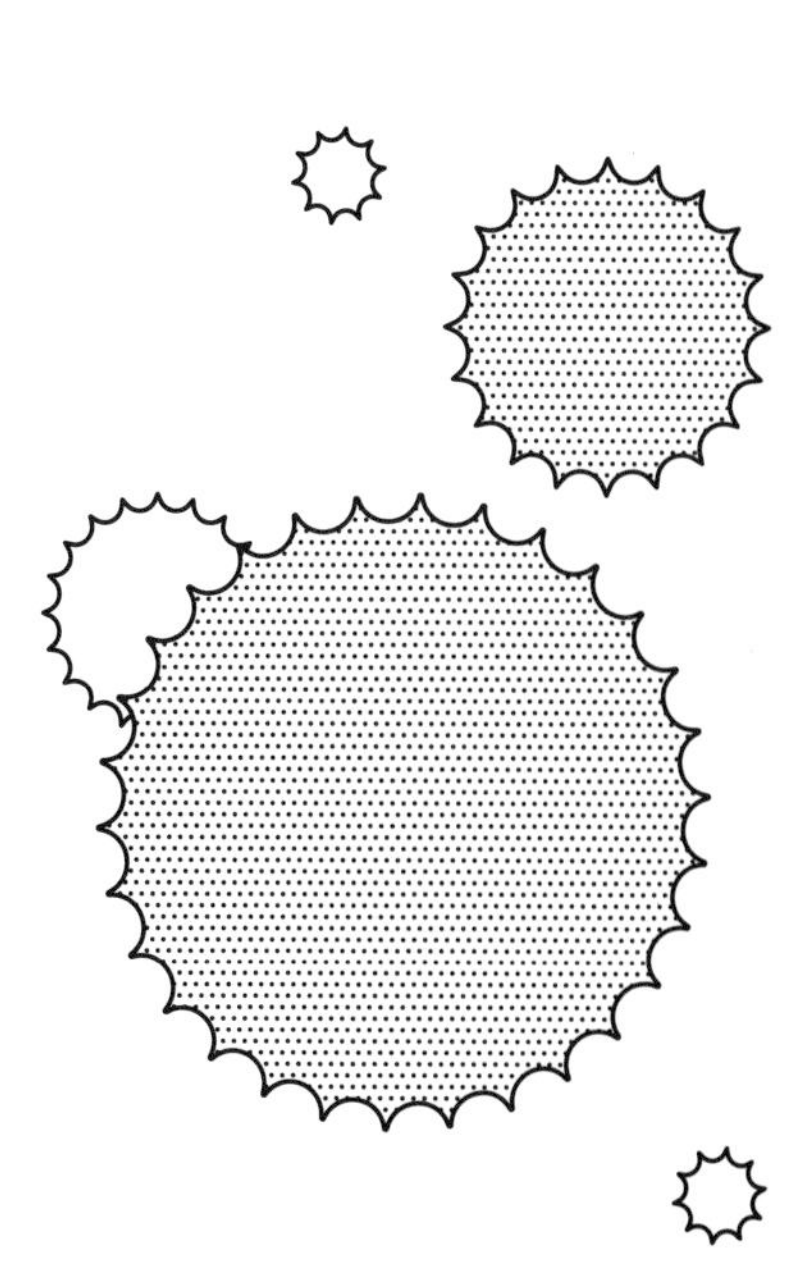

我ながら、浮かれに浮かれまくっている。

明日の午前十時からのデートを控えたおれは有頂天だった。定刻になるやいなや、五時ダッシュを決め、車を飛ばして街へ繰りだし、スーツ姿のままデパートの隅から隅までをくまなく練り歩いて、戦利品となる紙袋を両手に携えて自宅のアパートに帰ったところだ。

おれは革靴と鞄を玄関にほっぽり出し、そのまま部屋の電気を付けた。ベッドに背広を放り投げ、左手に下げていた紙袋を机のまんなかに大事に大事に捧げ置いた。袋のなかには、明日のために新調したシャツやスラックス、それから奮発した靴が入っている。

デートなんて、いつぶりくらいだろうか。

仕事上の付き合いで飲みに行ったのを除けば、大学から付き合っていた彼女と社会人一年目に別れて以来。つまり二年半ぶりくらいになる。

頬の筋肉がゆるんでにやけそうになり、いかんいかんと冷蔵庫から缶ビールを取り出す。そして渇いた喉にぐびぐびと流しこむ。ホップの苦みの奥にある幸せが口一杯に広がり、気分は昂揚するばかり。

おれは床に散らばる寝間着やしわくちゃなシャツを足で端に寄せると、空いたスペースに腰を押しつけてテレビを付けた。明るくなった画面には『異例のロングラン、大絶賛上映中』の文字が浮かんできた。

二人の男女の淡い恋模様がぶつ切りに挿入され、最後には、夜の教室で泣いている制服姿の女子を先生役の男性俳優が胸に引き寄せるのだった。巷では話題沸騰中の美女とイケメンである。二人は無言で見つめ合い、ほとんど唇と唇が触れ合いそうな距離で映像は終わった。

テレビを付けた瞬間に、この映画のＣＭが流れるなんて。

運命を感じずにはいられなかった。

思わず手に力が入る。缶ビールはおれの代わりにメキッと喜びの悲鳴をあげた。へこんだ缶ビールを手放し、床にバラまかれた衣類をかき集めてこんもり丸めると、洗面所で沈黙していた洗濯機に押しこみ、臭いものにはなんとやらの原理で蓋をした。

明日のデートのお相手は新入社員。

まだまだ仕事や職場に慣れておらず、ちょっとしたことで戸惑ってしまう、あどけないリスのような女の子だ。化粧も覚えたてで薄めだが、その擦れてない感じがいい。

一昨日、ずっと遅れていた会議対策資料作成の目処がつき、おれたちは閑散としたオフィスで詰めていた息を吐いた。時計はすでに二十一時を回っていた。

「仕事の打ち上げに、週末に飯でも食いに行くか」

いつ誘おうか、いつ言おうか。虎視眈々とタイミングを見計らっていたおれは、ずっと温めていた言葉を切り出した。

「いいですね。先輩のおごりですか」

「おまえも頑張ったからな。よっしゃ、いっちょおごってやるよ」

緊張で心臓が飛び出しそうなほどだったが、さも慣れていますよと手に持っていたバインダーで頭をぽんぽんする。反応が怖かったけれど、彼女は嫌がるふうもなく、小動物みたいに笑っていた。口角と目尻が重なろうとするように近づく。その距離に反比例しておれの鼓動は高鳴る。

「あの、私、ちょうど見たい映画があったんです。先輩も一緒にどうですか」

「え、映画だって。そ、それはいいな」

もしも暇なら、夕飯だけと言わず、一緒にどこかに出掛けないか。

喉まで出掛かっていた言葉をまえにして、彼女からまさかの先制パンチ。油断していたあごに的確な一撃。おれは平静を装うだけで精一杯だ。

「ど、どんな映画なんだ」

「それがですね。感動系なんです」

彼女が嬉々として話してくれたのが、まさにさっき流れたＣＭの映画だった。おれは知らなかったのだけれど、原作はもともと小説らしく、書店には『何十万部突破』を謳った帯が付けられた状態で平積みされているとのこと。そういえば駅の広告でも大々的にＰＲされていた気がする。若い世代にカリスマ的人気を持つアーティストが、この映画のために新曲を書き下ろしたこともネットニュースで話題だったような。

　映画好きなこともあり、絶対にこの映画だけは見に行くと誓っていた彼女ではあったが、次から次へと舞いこんでくる仕事に追われて二の足を踏んでいた。そうしているうちに、映画公開自体が明後日で終了という時期にまで差し掛かっていた。

「土曜日の十時半からですが、先輩、大丈夫ですか」

「おれをだれだと思っている。起きられるに決まっている」

「そうですよね。失礼しました」

　そうして彼女と小指で約束を交わしたおれは、長い長い仕事をくぐり抜けてこの場所にたどり着いたのだ。

　ついに明日がデート。いわばデートイブだ。

　しかしあんなベタベタな恋愛映画を見たいなんて、やはり年の差なのかな。おれは明日彼女に披露する面白エピソードを厳選しつつ、そんなことを考えていた。おれは今年で二十五歳になるから、彼女とは三歳差。新入りである彼女の面倒を見る役目を命じられており、なにかと接点が多い。

会議資料を見やすく作るにはどうすればいいか。データ処理の効率化にはどういった方法があるか。厄介な上司へのホウレンソウはいつすべきか。

先輩風を吹かせながら、戸惑う彼女にさりげなく教えるとき、濡れそぼった二つの瞳はキラキラと輝く。まるでピンチに駆けつけてくれたヒーローを見上げるような視線。

おれはその瞳に恋をした。キザでもなんでもなく、マジの話だ。

つい最近まで、業務をこなすことばかりに必死で、胸がときめくなんて皆無だった。なんかこういう、当たりまえの幸せっていうか、人間的な営みを忘れていた気がする。思い出させてくれた彼女に感謝。

明日に照準を合わせたおれは、ずっと溜めていた食器を片し、ペットボトルをゴミ袋に収め、トイレを磨いた後で熱いシャワーを浴びた。むだな体毛をT字カミソリでこそぎ落とし、いつもより多めのボディーソープで肌の表面を磨きあげる。そして風呂上がりには仕上げのクリームまで塗った。ドライヤーで髪をふんわり乾かし、ふやけた皮膚のまま長かった手足の爪を処理した。それから紙袋を開けて、透明な袋に入った服をハンガーに通し、カーテンレールへ引っ掛けていく。靴には紐を通し、詰められた紙を捨てて玄関のまんなかに陣取らせた。

彼女に会う。

たったそれだけのことで、すっかり干涸びてしまったはずの心がうるおい、明日がこんなにも待ちきれない。そりゃあ、恋愛の漫画やアニメがなくならないはずだよな。

『おれの恋の報告書は、いつだってきみ宛でした』

明日のデートにそんなキャッチコピーを付けて楽しんだあと、おれはついに部屋の電気を消した。携帯のアラームは余裕をもって八時にセットし、ベッドの目覚まし時計も同じ時間に針を回して設定する。

万事は整った。あとは明日の朝もシャワーを浴び、しっかり髪をセットして新品の服に袖を通し、颯爽と待ち合わせの彼女を攫いにいくだけだ。

「私服のセンスも良くて、髪もいつも以上に決まっていて。やっぱり、先輩ってすごくカッコいいですね」

そんな子供じみた妄想を爆発させている自分がくすぐったい。

時間を確認すると、テッペンまで残り数分というところだった。さようなら、長かった今日という一日。

おれはベッドにもぐりこみ、まぶたを閉じた。

世界はとても静かだ。

時計の秒針はチクタクと働き、呼吸は一定のリズムを繰り返している。心臓がドクドクと全身に血液を巡らせていく。

あれ、目覚ましをちゃんとセットしたっけ。

不安が押し寄せてきた。遅刻でもしようものなら一大事だ。時間には厳しくあれ。彼女にはいつも口酸っぱく言い聞かせてきた。

「先輩は仕事ではちゃんとしていますけど、休日はちゃらんぽらんなんですね」

そんな評価はごめんだ。

おれはカッと眼を見開き、目覚ましを確認する。アラームはちゃんとセットされていた。だが念には念を。一分後に針を設定し、鳴るかどうかを検査した。アラームは一分後にけたたましく鳴った。胸を撫で下ろし、ふたたび八時にセットしなおして眼を閉じた。

するとべつの不安が渦巻きはじめた。

電池は大丈夫だろうか。いやいや、電池はたしか一ヶ月くらい前に取り替えたはず。記憶に間違いがないことを、何度も何度もたしかめる。

だがそこで、今度は携帯が鳴るかが気になってきた。充電器に差したことは覚えている。けれどマナーモードにしていた可能性はないだろうか。

もしも疲れがひどく、起きられなかった場合。

彼女はきっと心配して電話を掛けてくるだろう。だがそのとき、もしもマナーモードになっていれば、当然電話が掛かってきても携帯はうんともすんとも言わず、おれは惰眠を貪り続けることになる。

一応、確認はしておこう。

馬鹿馬鹿しいとは分かっていたが、携帯の電源ボタンを押す。マナーモードはちゃんと解除されていた。おれは安心のため息を吐く。とんだ杞憂だったなぁ。

ディスプレイに表示された日付はすでに変わっていた。よし、今度こそ寝よう。おれはやっとのことで人心地がつき、毛布の優しい重さに身を委ねる。閉じた眼に浮かぶ、しゅわしゅわと万華鏡のように動く模様をやすらかな気持ちで眺める。それは穏やかな砂絵であり、湖面にたゆたう波紋でもある。

これを見ていると次第に意識が遠のき、いつのまにか雀が朝を知らせてくれる。おれはいつものルーティンを信じて模様を眺め続けた。

だが一向に、眠気が立ちのぼる気配がない。遠足前の小学生のような高揚感。どうも体勢が気に入らなかった。そうだ、おれはどちらかといえば横向きで寝るタイプだった。仰向けで寝ているのがいけないんだ。寝返りを打ち、手を抜いたり頭の下に置いたりと調節して眼を閉じる。だが意識は鮮明で静まる気配がない。

そういえば、携帯のブルーライトを見ると、脳波だとかなんとかの関係で、十五分くらいは眠れなくなるとネットで見たことがある。

十五分。

おれの頭のちいさな部屋のなかにホワイトボードが出現し、計算担当大臣のおれは、早速ペンで計算式を並べていく。

彼女との待ち合わせは十時だから、さっき携帯で見た時間を引く。それが彼女に会うまでに使える自由な時間。そこから準備と移動の時間を引いた残りの時間が睡眠時間だ。

人間が良い睡眠だと感じるのは九十分周期らしい。その見地でいくと一時間半、三時間、四時間半、六時間、七時間半が候補に挙がることになる。

つまりは――

どつぼにはまりかけていることに気がついたおれは咳払いをし、頭のなかにあるホワイトボードにバケツの水をぶちまけてやった。すぐ数式や理詰めで物事を判断しようとするのは、理系の悪い癖だ。

経験的に分かっていることがある。

おれは睡眠時間がすくないと面白い冗談が浮かばなくなり、無口になる傾向がある。彼女との初めてのデートで、それだけはどうしても避けたかった。

だが眠れる気配がしないのもまた事実。寝るまえの呼吸は鼻呼吸か口呼吸か、どんなふうに息を吸って吐いていたか。それが分からなくなっていた。時計の針がおれを急かす。身体の熱が鬱陶しい。

駄目だと分かりつつも、おれは眼を開けてしまった。そこには天井が待っていた。ほこりが溜まる半透明のカバーの向こうに丸い蛍光灯。以上。

眠れない熱帯夜に迷いこんでしまった。

まずは身体の熱を冷まそう。冷蔵庫から麦茶を引っぱりだしてグラスになみなみと注ぎ、一気に空にする。シンクに飲み終わったグラスを放置しようとして、こういう細かなところを女子は見ていることを思い出し、それを洗ってからベッドに戻った。

胃に溜まった麦茶効果で、身体の芯から冷えていく。すこし眠くなってきた気がする。広大な海にたゆたっている気分。おれはゆっくり眼を閉じた。その瞬間、携帯がぶるっと震えた。

意識を手放しかけていた頭に、熱い血がどっと濁流のように流れこんだ。

だれだ、こんな時間に連絡してくる馬鹿は。ゆるせん、ゆるせんぞ。

同年代、あるいは後輩ならば血祭りにあげようと決意して、携帯をタップする。
だが怒りは喜びへと変わることになった。

私です。こんな時間に申し訳ありません。
一つ、明日のことで伝え忘れていたことがありました。もうすでにインターネット販売でチケットは購入してあります。明日映画館で発券するだけになります。気が利く先輩のことです、前もって券を購入されるといけないなと思い、こんな時間にもかかわらず連絡させていただきました。起こしてしまったのなら申し訳ありません。夜分遅く失礼しました。
P．S．私は楽しみのあまり、ドキドキして眠れません。先輩もそうだったらいいなぁ。

おれの課の四十代前半の女係長が飲み会の席で、彼女のことをぶりっ子だと称したことがあった。

「彼女は男に色目を使うから、あんた、騙されないように気を付けなさいよ」

それは人生の酸いも甘いも嚙み分けてきた一人の女上司として、助言したつもりなのだろう。だが仮に、その指摘が正しく、このメールや彼女の普段の態度がすべて演技で、本心はどす黒く汚れているとしても、やはりおれは彼女に恋をしただろう。

男に期待を持たせ、奈落の底に突き落とす悪女がいることは知っている。だが女に期待を持ち、騙されてもいいという男も、この世にはいる。すくなくともここに、一人いる。

彼女を守り抜く騎士のように高らかに志を掲げ、携帯を誓いの剣のように胸のまえに携えた。そうしてふたたび携帯を手放し、眼を閉じる。

彼女のメッセージに心臓はさらに興奮し、頭には脳内麻薬物質が飛び交って火花が散る。

胃の麦茶効果も消え失せ、身体はいまや興奮の絶頂にある。この興奮をどう処理しようかと考える。悩みに悩み、ショック療法ということで筋トレという手段を講じてみることにした。身体を動かして疲れさせ、スコンと寝てやろうというアイデアだ。暗いままベッドを抜けだし、床に掌と足をつけて身体を伸ばす。ここで床を片付けたことが効いてきた。いいサイクルに入っている。内心焦りはじめている自分に言い聞かせる。

腕立て伏せなんて、久しぶりだな。

高校、大学とテニス部に所属して、体力と腕力には比較的自信があった。だが衰えは進行していて、十五回目に差し掛かるころにはプルプルと二の腕が白旗寸前まで追い込まれる。

気合いで二十回をこなしたのち、ベッドに戻って腹筋五十回に挑戦する。ベッドのバネがギシギシとやかましかったが、腹筋は苦労なく達成することができた。下腹部が出てきたと悩んでいたけれど、脂肪の下に埋まっている六つの腹筋は、まだまだ現役らしい。

背筋二十回もやり抜き、これ以上の負荷は明日に響くと察したおれは、冷房を付けてベッドに滑り込む。最近使っていなかったからか、カビの臭いが部屋に循環する。だが身体が一気に冷却されていくのは快感だ。

漁船に打ち上げられたマグロが、マイナス数十度の冷凍庫に担ぎ込まれてカチカチになる。そんな夢を見たなら、是非とも彼女に話そうと夢想していた。

だがそれから、どれだけの時間が経っても眠気はやってこなかった。

徐々に不安を募らせるおれは、見なければいいのに時計を見てしまう。そして頭のホワイトボードを引っ張り出して睡眠時間を逆算する。焦りで眠気がまた遠くなる。

午前の二時を回っても眠れないおれは、ついにベッドを抜けだし、途中までで止まっていた文庫本のページをめくることにした。ヒーリング効果があるとかいう、川のせせらぎや野鳥のさえずりを録音した動画も携帯で再生する。

だがその努力も虚しく、活字を追っても上滑りし、川のせせらぎや野鳥のさえずりも騒音にしか聞こえない。時計は三時を回る。

まずい、まずい、まずい。

ついにおれは、これだけはすまいと自分を戒めていたパンドラの箱を開けることにした。部屋の隅に置かれていたパソコンを立ち上げ、眠れないときの対処法を教えてくれるサイトを巡っていく。携帯のブルーライトで十五分眠れないというのなら、パソコンのブルーライトはいかほどの効力か。それは分かっていた。だが縋るものが欲しかった。藁をも摑む想いだった。

ぐっすり眠るには『頭寒足熱』がいいらしいと知る。文字通り、頭を冷たくして、足を温めたほうがいいということだ。

「なるほど」

おれは一人頷いた。無知なおれは、筋トレによって頭を温め、冷房で足を冷やしてしまった。どうりで眠れないわけだ。

洋服簞笥から靴下を引っ張りだした。頭はどうしようかと考え、保冷剤をハンドタオルに包んで首元に当ててみることにした。テニスで日焼けしたときみたいだ。懐かしい気持ちに包まれていると、学生の想い出繋がりで大学の天文部の旧友が言っていたことを思い出した。家庭用プラネタリウムを見上げているといつのまにか眠ってしまうと奴は言っていたっけ。

おれはすのこが敷（し）いてあるベランダに出て、夜空を見上げてみることにした。ベランダに吹く夜風は冷たく、頭を冷やすにはうってつけだ。

屋根越（ご）しに見える空には切れ切れの雲がただよい、その雲間から星のきらめきがのぞいていた。しばらくぼうっと眺めているあいだに雲は流れ、弓なりの銀白色の月が顔を出す。

その直下を流れ星が走った。窓の表面に溜まっていた水滴（すいてき）がすこしずつ大きくなって零（こぼ）れたかのようだ。

あっというまもなく流れた星に、両手を合わせて願う。

神様、どうか聞いてくれ。

おれは不治の病を治したいわけでも、遠くの地で別々に生きる異性に逢（あ）いたいわけでも、湯水のごとく大金を使う大富豪（だいふごう）になりたいわけでもない。

ただ、眠らせてほしい。

色々な願いを聞き届けるあんたからしたら、そんな願いと笑うかもしれないが、おれにとっては切実な願いなんだ。頼（たの）む、頼むよ。

眼を開けてみる。さっきまで見えていたはずの銀白色の月は、逃（に）げるように雲隠（くもがく）れしていた。おれはくしゃみをして部屋に戻った。

ベッドの上の時計は四時を差していた。

おれはまだまだパソコンで調べ物を続けた。不眠症（ふみんしょう）対策の一つとして、寝る時間にはこだわらず、好きな時間に寝ましょうというものがあった。泣きたい気持ちになった。こんなの詐欺（さぎ）じゃないか。

ほかにも、手に備わっている眠れるツボを押すといいとか、眠れる呼吸法を試すといいとあったので、片っ端（かたっぱし）から試した。結果的には試してみただけだった。

なにか、なにか方法は。

検索（けんさく）に没頭（ぼっとう）していたら、時計は無情にも五時を過ぎた。頭はどんより重く、眼の奥にしこりのような違和感（いわかん）を覚えはじめる。笑いたい気分だった。時計は絶望のカウントダウンと化している。

おれはそこで、ついにパソコンの電源を切った。

発想の転換（てんかん）。おれは自分が保ち続けたパラダイムをシフトさせることにした。

眠れないのなら、眠らなければいいのだ。

おれは寝間着のまま玄関の扉を開け、新しい一日を迎え入れた。漆黒の闇は終わり、朝の気配が混ざりはじめていた。早朝の張りつめた空気が疲れた肌をくすぐる。

おれは階段を降りていく。エントランスまえの植物の葉は朝露で濡れている。自動販売機で冷たい缶コーヒーを買って飲んだ。部屋に戻ってテレビを付け、テンションをあげるためにロックンロールを流す。世界と部屋を区切っていたカーテンを開ける。朝日が部屋を照らすころにシャワーを浴びた。気持ちはすこし上向きになった。

早めに新品の服に着替えて鏡のまえに立ってみる。眼も当てられなかった。眼窩は落ち窪み、眼の白い部分は充血していた。口は半開きで頬が乾燥し、生気に乏しい。剃ったはずの髭も心なしか濃くなっている。ひどい有様だ。

彼女への言い訳を考えなくては。そのためにはまず、朝飯を食おう。糖分を入れなければ頭は働かない。おれはとにかく身体を動かすことにした。ある恐怖が頭の片隅に芽生えはじめていた。

ここで寝てしまえば、確実に起きられないという恐怖。

おれは自分で掛けた夜空への願いに叛逆する必要があった。近くのコンビニで立ち読みでもして時間を潰そう。国道沿いの歩道を行くころには、自動車の排気ガスで街は覆われていた。

待ち合わせの時間の一時間まえに到着したおれは、映画館前のベンチにどっかりと腰を落ち着けていた。疲労はピークを迎えていた。夜通しカラオケに興じ、徹夜で麻雀の卓を囲っていたのも、もはや過去の栄光だ。

腕立て伏せのやり過ぎでだる重くなった両腕を両膝に乗せて、なんとか寝ないようにと顔を支える。するとお花の形の付属品が付いたサンダルが視界に割りこんでくる。顔をあげてみる。そこには期待に胸を膨らませる彼女がいた。楽しげな表情は一瞬にして曇った。

「先輩、どうしたんですか。そのひどい顔」

いつもは地味な髪留めで結んでいるポニーテールを解き、彼女は一層幼く可愛く見えた。腰元をリボンの形にした水色のワンピースを着ていて、大学生くらいにも映る。

「元々、こういう顔だよ」

「そんなの嘘です。なにかありましたね」

「ちょっと仕事があって」

「そう、なんですか。おつかれさまです」

彼女は同じ課にいるのだ。これが嘘であることは勘づいているだろう。おれは空元気に膝をパンと叩いて立ちあがる。だが身体は正直なもので、立ちあがった途端に貧血のようにくらっとした。彼女を守るための騎士は瀕死だ。

「それじゃあ、行くか」

「は、はい」

足元がおぼつかなかったが、なんとか発券機を目印に突き進んだ。彼女は携帯で予約番号を確認する。発券が終わると、おれたちはこれから公開予定の映画の無料パンフレットを見て回った。彼女はやはり映画が好きなのか、この監督の作風が好きとか、この俳優さんの演技はすごいと分かりやすく教えてくれる。だがおれに楽しむ余裕はなかった。

眠い。

その想いが、楽しいはずのデートを台無しにしていた。愛すべき彼女はおれに笑いかけてくれるものの、相づちに必死でなに一つ内容が入ってこない。なんとなく気まずい雰囲気になり、ポップコーンやらドリンクの売店前で立ち止まる。

「なにか食べるか」

起死回生の一手として話しかけてみた。

「遠慮しておきます。私、映画には集中したいタイプなんです。飲んだり食べたりしちゃうと気が散っちゃって」

「そうか」

必死に紡いだ会話も続かない。

「私、お手洗いに、行ってきますね」

彼女がお手洗いの角に消えてから、おれは頭を抱える。次の映画を待つ人々がテラス席に座っていた。男子高校生らしき三人組が疲労困憊のおれをジロジロと見てきて、なにやらヒソヒソと耳打ちしているが、敗戦濃厚のおれにとっては、もはやどうでもよかった。

彼女がお手洗いから帰ってきたと同時に、係員は閉めていたゲートを開けた。

「十時半の映画鑑賞の方は、三番シネマへとお進みください」

おれたちは列の最後尾に並んだ。明日で上映が終わるために駆け込み客が多いのか、たくさんの人たちが列をなしている。

「楽しみですね」

「ああ、そうだな」

ゲートをくぐる際に、女性係員がおれのチケットを確認して、にっこりと営業用スマイルをくれた。

「三番シネマです。楽しんでくださいね」

楽しみたかった。おれだって、心の底から楽しみたかったよ。

そう叫びたい気持ちをぐっとこらえて、代わりに口から出した言葉は「ありがとう」だ。

ホールのほとんどの席はすでに埋まっていた。チケットで席を確認する。すでにいた家族連れに足を引っ込めてもらい、指定された席へとやっとたどり着く。携帯の電源を切り、ガヤガヤと聞こえる観客の騒音をＢＧＭにしていると、ついウトウトしはじめた。横にいた彼女が肘でおれを突く。

「先輩」

「ああ、すまん」

信じられない、という文字が彼女の顔に浮かんでいる。だけど睡魔は手加減してくれない。意志薄弱とかではなく、もはや抵抗不能だった。

そしてついに上映開始を告げるブザーが鳴ってホールが暗くなる。スクリーンに地方広告が始まる。

おれの意識はすでにないも同然だ。底なし沼に足を取られながらも、必死でもがき続けているかのよう。引きずりこまれたら、もう戻れない。だがすでに喉まで浸かってしまっている。自分を保っていられる最後の時間。

最後のあがきで隣に顔を向けた。彼女はすでにスクリーンに釘づけだった。美しい横顔。それが怒りの色に染まるであろう、二時間あとの未来を想像する。

「せっかくお誘いしたのに、眠っていたなんてどういうことですか」

烈火のように怒った彼女は、その場でさよならを告げるかもしれない。

やるせなかった。けれどもそれ以上にやはり、眠かった。

今や固いはずのシートも暖かなベッドさながらで、広告の音声は子守唄に等しい。

スクリーンには次期公開予定の映画の予告編が流れている。

上瞼と下瞼が合わさり、おやすみなさいのその瞬間、ふと想った。

映画館は願いを掛けた夜空に似ている。

天井に薄く付いているライトが星々で、暗がりのホールは夜の帳。そして銀幕のスクリーンは、さながら眠らずの銀白色の月といったところか。

神様。おれの願いを叶えるのは今じゃない。今じゃないんだよ。

だけどおれの抗議が聞き入れられることはない。

神様が掛けてくれた効果発現の遅い魔法に包まれながら、おれは頭から爪の先まで、どっぷりと睡魔の沼に沈んでいくのだった。

［ 5分後に笑えるどんでん返し ］

Hand picked 5 minute short,
Literary gems to move and inspire you

隣(となり)に引っ越(こ)して来たのは……

kino

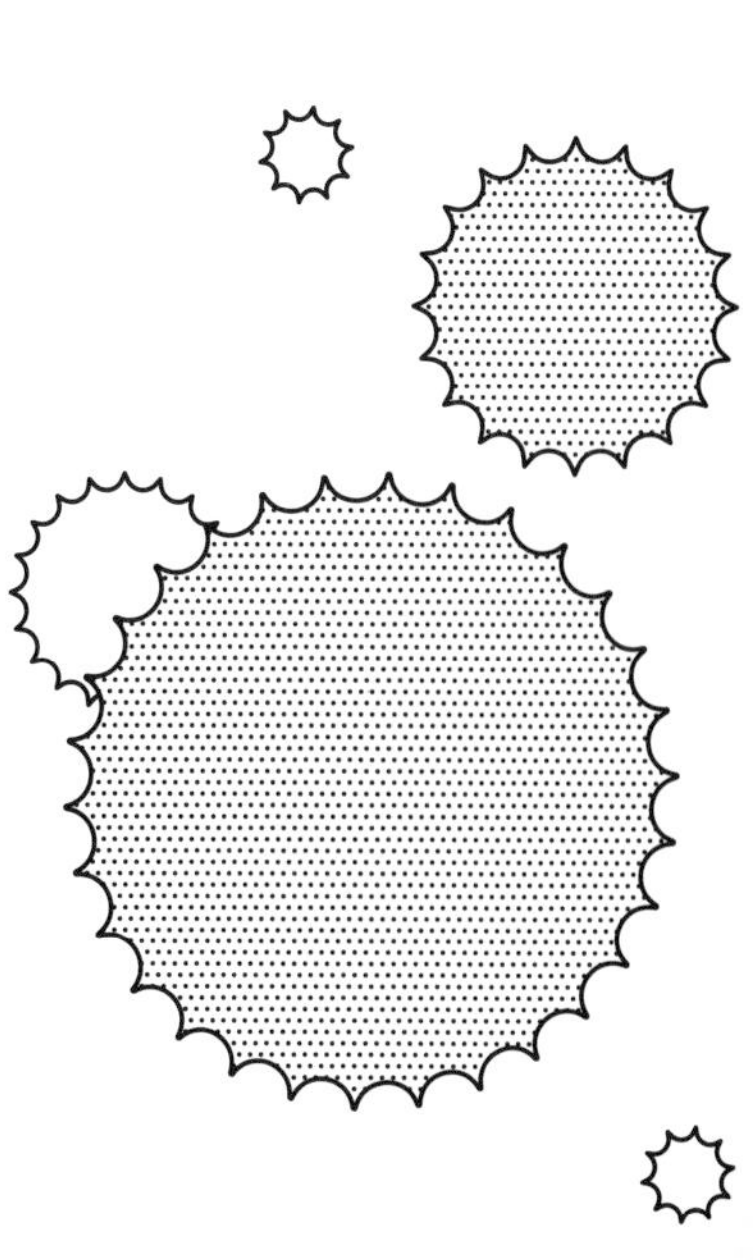

インターホンが鳴った。

理由は分かってる。

今日、隣(となり)に誰(だれ)かが、引っ越(こ)して来た。
引っ越しのトラックの業者が出入りしていた、一日中。

引っ越しの挨拶(あいさつ)だろう。

どんな隣人だろう？

扉を開けた。

「今日は朝から、お騒がせしてすみません。
お隣に引っ越してきた、ピーチク・パー子です！
おうちで、きっとゴロゴロなさってたんでしょ？
おたく、そーいう髪型をなさってますものね！
シャツもペラペラですし、ズボンもヘロヘロですものね！
無精ひげもズボラに伸びてますし！
それに、なんだか煙草臭いし、酒臭いですし、何かあったのでしょうか？
ま、そんなことはどーでもいいんです！
どーだって、いいんです、そんなこと！
世の中の出来事八割は、どーだっていいことなんです！
別に命を取られるわけでもないですし！
ワイドショーをにぎわす事件なんて、もう、どーでもいい！
私だって、ほら、見てください。
顔にオリオン座みたいに、四つ、吹き出物ができてますでしょ。

最近、体調が悪くって……
足も痛いんです、ほら、ここに何か謎の発疹が！
どうしましょ？
このブツブツ、どこかのリアス式海岸に似てません？
ま、いいです、そんなことも！
どーだっていいんです、謎の発疹なんて！
で、鼻の周りにそばかすが三つで、すべて合わせるとオリオン座なんです！
シミじゃありません、そばかすですよ！
色白の持ち主だけがなる、名乗れる、誇れる、そばかすです！
でもね、色々とカラダにいいことは実践しているんですよねぇ。
あら、おたく、お口がポカーンと開いてますけど！
え？
いったい、私、あの……
え？

何か、気に障るようなこと、言っちゃったかしら？

え？

私、正直者で正義感が強い女です！

これ、お口汚しですがどうぞ！

私、お菓子作りが趣味なんです！

素手でこねた、手作りバナナケーキです。

無添加ですよ、これ！

市販品なんてダメですよ、これを召し上がれ！

マスクをつけずに作りました！

だって美味しくなーれって、ホコリ舞う台所で踊りながら私、作りましたもん！

で、このお皿はおたくが洗って、また私に返却してください！

手洗いで丁寧に洗ってくださいね！

食洗機は不可ですよ！

高級洋皿ですから、必ず手渡しでお願いいたします。

えーと、私、何かと忙しい女ですから、おたく、いつがいいですか?」

「明日、引っ越します！　さようなら！」

扉を閉めた。

［5分後に笑えるどんでん返し］

Hand picked 5 minute short,
Literary gems to move and inspire you

とても平和な空手部の日常

松ヶ枝朋幸

とある朝の風景

それは、とても天気の良い、清々しい朝であった。

いつもならこんなに良い朝は、好きな紅茶の中でも特にお気に入りのオレンジペコと、大好物のエッグサンドと決めている。小鳥さえずり、花萌ゆる。夏であるこの季節、日中との気温差が、より朝の気持ち良さを引き立たせると思う。

今日も、とても良い日になりそうだ。

それが、鬼の空手部、地獄の強化合宿の二日目であったとしてもだ。

目を覚ました美奈が初めに自覚したのは体の痛みだった。一日目にしてありえない運動量を課せられた肉体には余すところなく乳酸が蓄えられ、日の終わりに全員で行った入念なマッサージも、筋肉痛への効果はあまりなかったと思われる。

創部数十年を数える、この学園の空手部は、その輝かしい歴史の裏に、部員たちの壮絶な鍛錬があることは周知の事実である。曰く、学園の強制収容所。曰く、学園のシベリア。そんな部活の、しかも「強化合宿」なのである。この状態は当然以外の何物でもない。

見ると、他の部員たちはちらほらと起き始めているようで、ひとまず美奈も朝食をとるため、顔だけでも洗ってから食堂へ顔を出す。もはや化粧（けしょう）などという呑気（のんき）なことは言っていられない。

「おう、おはよう！　ハハ、ひでえツラだぜ美奈！」

食堂へ着くと、開口一番元気印が声をかけてきた。同学年の霧島龍斗（きりしまりゅうと）だ。

「うっさいわね……、なんで龍斗そんなに元気なのよ、おはよ」

「俺（おれ）にだって筋肉痛はあんだぜ。でもまあ、単車カマされた時に比べりゃ大したことはねえなってだけのことだ」

単車をカマすとは一体何なんだ。知ろうとは思わないし知りたいとも思わない。でもまあなんとなく想像はつくので、美奈は聞き流すことにした。

「お、ラッキー、今日は目玉焼きじゃん。ほれ、おまえの分」

「ん、ありがと」

「ああそれと、愛ちゃん！　ごはん大盛りでお願いね！」

はーい、と大きなごはん釜をガパッと開けながらマネージャーが答える。

「私は、トーストでいいかな」

お盆に目玉焼きと焼きたてのトーストをのせ、龍斗と共にテーブルに向かい合わせで座る美奈。別にいつも二人で食べているわけではないが、なんとなく今日はタイミングが一緒になってしまったので、卓もどうせなら一緒に、ということにしておいた。

まあ正直、互いが互いに向けた好意は、知らぬは本人たちのみ、である。

「さて、いただきます」

「いただきます」

「さーって、醬油醬油……」

「ソース、そーす♪」

二人が、各々の使用する手筈となっている調味料を手に取った瞬間、二人の手がピタリと、示し合わせたように停止する。

「……」

「……」

互いが、互いの向かいに座った相手が持っている調味料を凝視し合う。数秒ほどして、ゆっくりと視線が向き合い、睨み合いの段階へと移行した。

「ほぉ……」

「ふぅーん……」

互いに有効な発言が一切出ないまま、十秒ほど経過した頃だろうか、龍斗がようやく口を開く。

「まあ、あれだ」

コトン、と、龍斗が置いた醤油の瓶と机の間で音が鳴る。

「今更、目玉焼きに醤油をかけるだのソースをかけるだのなんていうので議論するのは、手垢でまっ黒になるくらいに使い古された話題なわけだ」

「そう、確かにそうね」

「思うわけだ。実際に食べるわけでもない食いもんのことで、あれこれ議論して何になるんだと。美奈よ、俺たちは何者だ？」

「私たちは、栄光の空手部部員、そして空手家よ。龍斗の言わんとしていることは、よくわかったわ」

「自らの我を押し通したければ！」

「力をもって相手を屈服させよ！」

お、またなんか始まったゾ、と周りの部員たちが気付いたことに気付かぬまま、二人は各々の相手に食べさせるものの調理を開始する。

といっても、どちらも炭水化物の上に目玉焼きを載せて調味料をかけるだけという簡単なものなので、十秒も待たずに両者の前に料理が差し出された。

「さあ、おあがりよ。これが由緒正しき日本の、伝統ある目玉焼きの食い方だ」

「さ、召し上がれ、こちらだって歴史の古さでは負けてないわよ？」

　美奈に差し出されたお碗には、熱々のごはんの上に半熟の目玉焼き。その黄身に絡めるように足された醤油が、黄身の色をどす黒く変色させている。黄身と醤油が混ざったら、あとはサッと白身部分にもふりかけ、完成。

対して、龍斗に差し出されたのは、トーストの上に載った目玉焼きに、ほどよくソースがかけられたもの。こちらも目玉焼き自体は半熟だが、黄身自体には何らの細工もされていないようだ。

「ほほぅ、見た目はこれ以上ないくらいシンプルだな」

「人のこと言えないわよ。まあ材料が卵だけなんだからしょうがないけどね」

「ま、それもそうだ。ちなみにそれは、初めに目玉焼き全体を、黄身を含(ふく)めた中心を十字に切って食べるといい」

「なるほど、わかったわ。そっちのトーストは、半熟の黄身を潰(つぶ)してある程度ソースと絡めてから、全体を半分に折って食べるの。黄身がこぼれやすいから注意してね」

「お、そうか。それじゃや、相手に反応見られんのもなんか恥(は)ずいし、同時にいくか」

「そうね、賛成よ。それじゃ改めて……」

「「頂きます！」」

互いが、互いのアドバイス通りに、まずは一口目を食べる。

その瞬間、ガタァンという音が食堂に木霊した。

それは、人が急に椅子から立ち上がる時に、椅子が鳴らす音だ。その音を鳴らしたのは、美奈と龍斗、両者ともであった。予想外とも言える味に、頭よりも先に体が反応したのだ。

龍斗サイド

目玉焼きイン・トーストを手に、龍斗は驚愕した。美味い、美味すぎる！

サクッと香ばしいトーストの後に来る、白身の味はあくまで淡泊。しかし、それを補って余りあるソースと黄身の、程よくミックスされた甘さが後からやってくる。

いや、むしろ白身が淡泊であるからこそ、ソースの濃厚さとの、いがみ合うことのない融合を可能にしている説すらある。

我慢できずに二口目、三口目を食べた時点で、本丸の黄身がある部分へと到達した。途端に、味わいが百八十度転換する。二口目まで味わってきた白身の肉厚感が薄れ、急に黄身の濃厚な甘みが口いっぱいに広がった。

しかし、ここで特筆すべきは、黄身のことだけではない。

三口目に到達するまでは、淡泊な味わいしかないと思っていた白身だが、三口目に到達して、初めてその存在感を認識するに至ったのだ。白身は、成分の多くがタンパク質で構成されている。

すなわち、その食における役割は食感にあり！

生であればヌルッと。

半生であればトロッと。

そして、しっかり火を通せばプリッと！

三口目にしてその存在感が薄れることで、逆に初めてその存在感を強烈に認識した。

失って、初めてわかる、大切さ。

合宿から帰ったら、母さんにいつもありがとうって言おう。

しかし、三口目にして白身の存在が薄れたからといって、その味わい深さが低下したわけでは全くない。白身の存在感が薄れたということは、逆に黄身の存在感が強烈に、前面に出てきたということだ。トロッとした黄身の、口いっぱいに広がる濃厚な甘みとコク。

美味すぎる……犯罪的だ……！

よく考えたらこの組み合わせ、某ハンバーガーチェーン店で似たような商品見たことあるぞ。そんなもん、美味いに決まってんだろ！

あとこの形、どこかで見たことがあると思ったら、それはサンドイッチなるものに酷似していた。ソースの有無はあるとして、それは紛れもなくタマゴサンドそのものだ。

かつて、ヨーロッパのどこかにサンドイッチ伯爵なる紳士がいたという。旦那様、お食事の用意が整いましてございます。オーケー、オーラーイでもチョーット、ポーカーが良いところで今手が離せナーイネ！　パンにハムをハサムニダして持ってきてクダサーイ！　というのが、サンドイッチの発祥らしい。

そういえば、前に美奈の家庭環境を聞いたことがある。彼女の姓は「金剛」という、とある大きなグループ会社の社長令嬢で、実家がとても金持ちである。生活の格式は高く、礼儀作法マナーの類は幼少の頃からとりわけ厳しく叩き込まれてきたそうだ。

習い事の類も当然人並み以上に通わされた。例えば、淑女として相応しいしなやかさを備えているべきと、バレエ教室へ通わされた。それと同時に習わされたのが、空手である。美奈の一族は代々格闘技一家として有名で、それぞれが何かしらの格闘技、もしくは武道を修めている。父親は剣道、母親は弓道で、それぞれ師範代、三歳年上の大学生の兄はボクシングでプロライセンスを持つほどらしい。学業を続けながらのプロの試合で、今年新人王に輝いたそうだ。

美奈本人にしても、その空手の錬度は非常に高く、特にバレエで培った体のしなやかさを利用した、舞うような戦い方は見る者全てを魅了する。アウトレンジから一発逆転の脚技を決める様から、その戦い方は「蝶のように舞い、蜂のように刺す」などと評されることもある。

さて、そんな厳しい家庭環境にあれば、食卓における粗相も、ことあるごとに咎められたことだろう。テーブルに肘をついては手を叩かれ、食べ物をこぼせば叱責される。そんな窮屈な食事の中での、彼女なりの自由が、そこに垣間見えた。

ひょっとしたら、見た目としては決して褒められた食べ方ではないかもしれない。淑女としてどうなんだと言われれば、確かに首をひねらざるを得ない。しかし、この食べ方が許されないのであれば、サンドイッチという食べ物自体を完全否定することになってしまう。限りなく自由の許されない、鳥かごの中のような食卓の中に、論理で構築したいくばくかの自由。それが、確かにそこにはあった。

そうか、美奈、これが、お前の強さの裏に隠された、反骨心の原点なのだな。

気が付くと、手に持っていたはずの目玉焼きサンドはきれいさっぱりなくなっていた。

美奈サイド

同時刻、左手に茶碗、右手に箸を持つ美奈は、感動に打ち震えていた。

十字に切った黄身からとろけ出る中身は、徐々にごはんへと浸みていく。半熟の白身にもほどよく振りかけられたであろう醤油は、しかし白身からは弾かれ、ごはんへ黒い染みを作っていた。

美奈が食べた一口目は、その白身と醤油が浸みたごはん。カッと勢いよく口に放り込んだ瞬間に、ふわトロの白身と醤油の塩気、ごはんの甘みが口の中いっぱいに広がった。

特筆すべきは、ごはん、醤油、白身の、味のバランスである。日本に生きる者であれば、少なくとも一回は「しょうゆごはん」なるものを聞いたことがあると思う。実際に試した者もいるかもしれない。ただ単純に、ごはんに醤油をかけて食べるだけという質素極まりない食事である。

もはや、食事と呼べるかどうかも怪しいその「しょうゆごはん」であるが、ごはんと醬油の加減が非常に難しいということをご存じの方は、とても少ないと思う。醬油が少なければただの味気ないごはんだし、逆にかけすぎてしまうと、とてもではないが塩辛くて食えたものではない。その味の調節はとても繊細で、ミリリットル単位での醬油の調整が必要となる。

しかし、そこに「ツナギ」となる緩衝材が存在していたらどうなるであろうか？ハンバーグにおけるパン粉のように、それ自体が主張することは決してなく、主役同士が離れ離れにならないよう調和を取る。この、目玉焼きオンごはんにおける白身の役割は、まさにそこにあると言えた。

白身の淡泊な味わいが、醬油の刺々しい塩辛さを優しく包み込み、ごはんとの完璧な調和を促す。

ブラボー……、おお、ブラボー……！

しかし、そこで美奈はハッと気が付く。この目玉焼きオンごはんにおける主役が一体何であったかと。そう、彼女は忘れていた。しっかりと醬油が混ぜ込まれた

「黄身」の存在を……！

ごめんなさい、君のこと、忘れてたわけじゃないのよ。でも、もう片方が、その、とても素敵だっただけなの。こんな浮気(うわき)な女を、許してくれるかしら?

美奈は、お碗の中央付近にある黄身がよく浸みたごはんを、ズズッと勢いよく口へ流し込んだ。

瞬間、脳髄(のうずい)を走る電撃(でんげき)のようなものに美奈は打ち震えるのである。

なんっていうことなの……！

日本には、古来より「たまごかけごはん」という伝説の食べ物が存在する。他の国では決してあり得ない、衛生大国日本ならではの、究極の芸術作品である。「しょうゆごはん」よりは、食べたことがある人が多いかもしれない。

しかし、美奈にとってはその「たまごかけごはん」ですら、一度か二度、口にしたことがある程度で、その味にはそれほど馴染(なじ)みがなかった。その美奈ですらをも完璧に魅了する濃厚な何かが、そこにはあったのだ。

たまごかけごはんは、本来卵を丸々一つ使い、ごはんと卵、醬油をかき混ぜて食すものである。すなわち、そこにおいては黄身も白身も関係なく、全てがミックスされてしまう。

しかし、たまごかけごはんにおける味の決め手は、ごはんと醬油と、あと一つは「黄身の甘みとコク」に他ならない。「たまごかけごはん」においては白身の存在は、その淡泊さにより、残念ながら黄身の存在感を薄めることになってしまう。すなわち、「たまごかけごはん」をそのまま「たまごかけごはん」として食べるだけでは、その黄身の力を十分に発揮できているとは言い難いのだ。

君が、否、黄身が、白身という拘束具を外しながら静かに語りかけてくる。

「愚かなり、金剛美奈（凄く渋い声）」

それはプロテクター、ましてや武器などでは決してなかったのだ。

「吾輩の全力が『たまごかけごはん』だとでも思っていたのか？（凄く渋い声）」

そんな、馬鹿なっ……！　この私が、負ける……!?

あってはならない、そんなことは、断じてあってはならないイイィイイ！

それほどまでに、口の中で咀嚼され続ける「それら」は、ひと噛みごとに、時に暴力的に、時に衝撃的に、美奈を感化し続けた。

そして、ゼリー状になるまで咀嚼されたそれを、一気に嚥下する。

ああっ……、貴いっ……！

たった二口食べただけで、そのお碗の世界が見えた。否、見せられ、魅せられた。ともすれば、行儀の悪い食べ方とも見て取れるこの食べ方は、古来の日本の常識で考えれば、あまり褒められた食べ方ではなかったのかもしれない。例えば、ごはんにお味噌汁をかけて食べる、所謂「ねこまんま」は、戦では好んで食べられていたそうだが、日常生活では無作法とみなされることもあったようだ。

慎ましやかなやまとなでしこが、夫の留守を忍んで無作法な食べ方を楽しむ。ああ、愛する私の旦那様、貴方の目を盗んで、こんなはしたない食べ方をする私を、どうかお許しください。貴方のことは誰よりもお慕い申し上げております。だけど、この味が私を魅了して止まないのです……！

そもそも、よく考えてみればこの、ごはん、醤油、たまごというものは、それぞれがどれと組み合わせても問題のないものばかりだ。

ごはん＆醤油　↓　無問題

ごはん＆たまご　↓　無問題

たまご＆醤油　↓　無問題

ならば、この三つが組み合わさってしまえば、その相乗効果がマシマシになるのは必然の理！　この三つの食材によって描かれる三平方の定理は、かのピタゴラスですらも発見しえなかったものなのである。

それはまさに、食のバミューダトライアングル！

その魔の魅力に、こうしてまた一人、幼気な少女が取り込まれていってしまったのである。

そういえば少し前、龍斗の家庭のことを聞いたことがあった。

龍斗の家庭は、所謂、母子家庭だ。

龍斗が小学校一年の時、当時消防士であった父親が救助活動をする際、二次災害に巻き込まれて帰らぬ人となってしまったそうだ。それ以来、龍斗の母親は、女手一つで彼を育て上げた。

彼がこの、私立の学園に入学することができたのは、運が良かったからに他ならないという。曰く、母親が中学二年の時に再婚したそうだ。学費も含め、全ての援助を惜しまないと言った相手の目には、一点の曇りもなかったという。

そして、学園に入学して美奈と出会い、空手部に入部する。空手の「か」の字も知らないので、入部当時は当然白帯。さも当たり前のように黒帯を巻く美奈を恨めしそうに見ながら、基礎練習を繰り返していた。そして、元来の攻撃的なキャラクターも相まってか、いつの間にか部内でも有数の実力者になったのである。

しかし、彼の本来の強さは、物怖じせずに相手の懐に飛び込む思い切りの良さと、路上での歴戦によって培われた、圧倒的な心身のタフネスにある。どれだけハードな練習にもへこたれることのない強い身体、どれだけ窮地に立たされても、最後まで決して勝利を諦めない強い心。そして、組手の時に見せる獣のような戦いっぷりから、彼につけられた二つ名は「猛獣」。

美奈と併せて「美女と野獣」コンビとはやし立てられることも少なくない。

やだ、美女って……、美女って……もうっ！（照）

さて、女手一つで多くの苦労を背負ってきた母親、そんな母親に苦労を掛けまいと思う気持ちと、生前に父から繰り返し言われてきた「男として立派に生きろ」という言葉を胸に、龍斗は力強く生きてきた。その力強さが過ぎたのと、生来の腕っぷしの強さが相まってしまい、近所では負けなしで有名な喧嘩小僧になってしまったのは別のお話である。

当然、暮らしは質素であったのだろう。夕食のおかずは特売のコロッケとキャベツのサラダ、そして、目玉焼きごはん。こんな食事ばかりでごめんね、龍斗。平気だって！　俺コロッケと目玉焼きごはん好きだもん！　そのやり取りを想像し、思わず目頭が熱くなる。

そう、龍斗、あなたの、強さの裏に隠された慈愛の心は、これが源泉だったのね。

気が付くと、左手に持った目玉焼きごはんは空になっていた。

君と黄身が融合し、意味不明な結論へと帰着する。

暫くの間、二人は無言で向き合っていた。

本当に美味しいものを食べた際、人は無言になるという。その事実を、身をもって体験してしまった彼らに、言葉など必要なかったのだ。しかし、それでも、彼らには確認したい、否、確認せねばならぬことが一つだけあった。

「なあ、美奈」

「なに？」

「お前、それ食って、何を感じた？」

「そうね、同じことを、私も聞きたいと思っていたわ」

「それじゃ、ちょうどここにあったペンで、自分の左手にそれを書こう」

「いいアイデアね、乗ったわ」

なぜかそこにあったサインペンを手に取り、龍斗が左手に何かを書く。書き終えた龍斗は、そのサインペンを美奈に渡し、続いて美奈も左手に何かを書き込んだ。

終始無言で実行されるその行為には、一種の緊張感が漂っていた。

「書けたか、それじゃ、ほい！」

掛け声と共に差し出された左手。

龍斗の左手には「ジェントルメン」

美奈の左手には「やまとなでしこ」

と書かれていた。

龍斗は感じたのだ、美奈の父親の、美奈に対する愛のある厳しさを。

美奈は感じたのだ、龍斗の母親の、龍斗に対する慎ましやかな優しさを。

そして両者は感じたのだ、自分のことを知ってもらえて、理解してもらえた時の感動と快感を。

家庭環境が違う。

戦闘スタイルだってまるで違う。

それなのに、これまでの人生の結果として今ここにある両者の「感性」が酷似しているという奇跡が、そこにはあった。

どちらからとも言わず、ゆっくりと立ち上がる二人。そして、差し出された右手同士が、がっしりと固い握手を交わしたのである。

「ジェントルメン！」

「やまとなでしこ！」

「わけわからんことやってねえで、食い終わったんならサッサと片付けろ。稽古始まんぞ」

「ウィッス」

「ウィッス」

今日も、空手部は平和です。

［５分後に笑えるどんでん返し］

Hand picked 5 minute short,
Literary gems to move and inspire you

御手洗源基（みたらいげんき）はスポンサーが多すぎて身動きが取れない。

篠原愛紀

雨に濡れた午後。じめじめ淀んだ空気を颯爽と掻きわけながら、その男が向かった先は全国チェーンのファミリーレストラン。何時間も居座れて、平日は人が少なく、尚且つ普段着でも居心地の悪くない空間をチョイスした。

「監督、こちらです」

先に入っていた原作者の夜人は監督に手を振ると、食べていたスパゲティを急いで平らげている。

「むごご……夢幻監督、めっちゃやばいんですよ。今回、映画のスポンサーが二十社も決まりました。一作目があんなに大ヒットしたおかげです。監督のおかげですよーん」

「そのことで、原作者の君に話があってな。ちょっといいかな」

「はいはーい。あ、ドリンク何飲みます？　あれいっちゃいます？　オレンジジュースとリンゴジュース混ぜてトロピカル紅茶」

「いいから、黙ってこの脚本を読め」

夢幻監督は思い詰めた顔で分厚い脚本をテーブルの上に出した。

夜人原作の映画『御手洗源基はヤンキーをやめられない上に学年首位のために女子からモテ過ぎて困る』が大ヒットし歴代二位の売り上げを叩きだしたのは、まだ二十六歳の若きレジェンド、夢幻監督。ちなみに本名だ。

同じくカルボナーラを完食し、色んなジュースを混ぜ過ぎてよく分からない濁った色の飲み物を飲んでいる夜人は、売れないシナリオライターだったが、前回の映画のお陰で原作である小説の印税でウハウハ中だ。ちなみに本名だ。

「まず、第一作はこの第二作目の大きな伏線になるような、それでいて今流行りのエログロに突入し、尚且つ世界観を広げるはずだった。そうだな」

「そうです。第一作目で、主人公はめっちゃ悪だとアピールして、戦う相手も超悪だとアピールしました。なぜなら二作目は、今流行りの『理不尽な密室で起こる理不尽なエロと理不尽な殺し合い学園サバイバルゲーム』にするためっすね。一作目でめっちゃ悪だった相手が殺されたら、見てる人もまあ仕方ないかって思うじゃないっすか」

「駄目だ」

「へ」

「スポンサーに大手鍵屋『うさぎはうちゅ』さんがいるので、密室殺人は駄目になった。代わりに主人公の首に、どんなドアも開けられる『マスターキー』をネックレス代わりに装飾することになった」

「え、それまじやばくない？　つまり主人公が皆閉じ込めてるみたいになるじゃん。いきなり主人公悪じゃん」

「そして、第一番目に殺される、先生に痴漢しまくっていた鳥水山の件だが、死体の脇にケチャップを置くことになった」

「ケチャップ？」

「そう。原作になかった台詞を追加することになった。『これは、鳥水山の血じゃない！　この瑞々しく酸味があるのに新鮮な味わい。これはトメィトフーズのケチャップだ』『じゃあ死因は失血じゃないな』で、死因はナイフで刺されたことではなくバナナの皮を踏んで頭を強打したことになった」

「え。めっちゃダサくないっすか。まず血がケチャップかを確かめるために床のケチャップを舐めるんですか？　……最初の殺される相手なんだから、こう、血がドバーって迫力あるほうが映画館でも映えるし。ってかそれって他殺扱いになるんすか？　うっかり自殺？」

「すまん。バナナのスポンサーはいないから、これでいってくれたら助かるんだ」

「ちょっとまじ保留っす。他に変更の部分は？」

「主人公の乗っているバイクだが、スポンサーのステッカーを貼ることになった。あと、前回ヘルメットをしてないと教育委員会からクレームがきたのでヘルメット着用、もちろんヘルメットにもステッカーを貼ることになる」

「それ、まじっすか。主人公、日本一の悪なのに、ヘルメット着用するんすか」

「ステッカーの例だが、某県非公式ご当地キャラクター『触手にょん』といっておぞましい触手や、あとペットショップ『にくきゅう』のピンク色の肉球のステッカーもある。これは私ももらった」

「俺も欲しいっす」

二人は肉球のステッカーを分けると胸ポケットに仕舞う。

「あと第一作目で主人公が学校の窓ガラスを、睨んだだけで破壊するってやつ」

「あれっすね。あれは二作目のホラー展開への伏線ですからね。主人公は不思議な力でこのホラーデスゲームを乗り切るんすっから」

「実は……大手窓ガラス会社『まどん』さんがスポンサーに」

「まじっすか！」

「ここも変更で『ふ。今日は無理か。これは良い窓ガラスだ。きっと大手窓ガラス会社、まどんだな』って睨んだ後に主人公が格好良く諦める路線にしようかと」

「それ主人公がただの中二病みたいになるじゃないっすか！　あとめっちゃ宣伝くさいっす」

「……ここまではまだ前置きみたいな、前菜みたいな可愛い問題なんだ。大事なのはこのエロ部分だ」

「まじっすか。かなりもう聞きたくないっす」

「この、『感染原因はキス』なんだが……」

「それっすよ！　それ、それまじだめっす。エログロホラーサバイバルの一番の見どころっす。主人公が色んな相手にキス迫られるっす。それでいて、ヒロインが『私だって感染してるかもしれない！　御手洗君だって怖いでしょ!?』『怖くねえよ』『じゃあ私にキスできるの！』っていう一番の見せ場で、エッロエロのキスするんすよ！」

「……台詞のとき、今、声色変えた？　うわあ。引くわ」

「監督！」

「いや、ああ、それなんだが某有名な歯科医が、自分の本の宣伝をしてほしいってことで、そこで虫歯はキスで移るってことを歯科医の本を例えに出して、キス感染の経路をうまく説明しろって」

「うわ、分厚！　世界的に大ヒットしたファンタジー小説並みに分厚い本じゃないっすか。しかも上中下の三巻セット！」

「これ、主演のサインを書いて、抽選十組に配ってほしいそうだ」

「まじっすか！　ぜってー送料やばいっす」

「で、キスシーンは音だけにして、その間、各スポンサーの製品を並べた棚を映すことになった」

「まじっすか！　え、音だけで想像力育てなきゃいけないって、童貞ってそこまで罪重くねえっすよ！　俺の映画で子どもたちは興奮してくれるかもしれないのに！　そんな、ひでえっす！」

「パンチラの部分も、上手くスポンサーの製品で布部分を隠すような構図にするらしい」

「布見せてやれよ！　中を見たいって我儘を言ってねえっす。布だけっすよ！」

夜人の声むなしく、夢幻は静かに首を振るとドリンクバーへ逃げた。


第二作目は、一作目で驚異的な強さを発揮した主人公が、言い寄ってきた女の子たちを守りつつ、閉じ込められた学園内で起こるバトルを不思議な力で勝ち進み犯人を見つけるホラーバトルロワイヤルの予定だった。

だがバナナの皮だのケチャップだの、パンチラカットだのシリアスな場面で歯のバイ菌の説明など話の世界観とは違う部分が多すぎて戸惑いを隠せない。

そういえばかの有名な名探偵ものの映画は、スポンサーにガス会社がいるのでガス爆発はできないと聞いた。あの有名で権力もありそうな映画でさえ、ガス爆発なしという縛りの中で映画を作っているのだ。

「夢幻さん……。縛りの中をくぐり抜けて傑作を作るのが俺たちじゃないっすか」

ドリンクバーから戻ってきた夢幻に、夜人は落ちついた声で告げる。

「俺、やるっす。やるしかないっす。やってやるっす。たとえ伝えたいことが半分も伝わらなくても、この主人公の最強さと、すぐ後ろに迫りくる恐怖、そしてキスさえも戸惑う純愛を！」

夜人と夢幻は、悔し涙が隠し味に入ったドリンクを乾杯すると泣きながら飲んだ。そして糞不味さにお互いの顔にかけあい、最高の映画にすると誓ったのだった。

夜人原作の映画『御手洗源基はヤンキーをやめられない上に学年首位のために女子からモテ過ぎて困る』の続編『御手洗源基はヤンキーはやめたものの、キスさえも戸惑う純愛を貫くために最後の一人になっても世界を救う』の初日舞台挨拶には脚本、監督の夢幻と御手洗源基役の俳優とヒロインのみ。夜人がマスコミやテレビの前に現れることは最後までなかった。

夜人は完成した脚本を見て号泣した。鼻水でできた海の中に倒れ込み、じたばた暴れた。顔を埋めて、窒息しようと思った。それほどまでに自分の書きたかったことが薄まっている。半分以上、いや三分の一の純情も伝わってこない。

ヤンキーをやめないってタイトルなのに、続編じゃやめてしまってる。死体の血を舐めて、ケチャップの宣伝をして、キスするはずができず虫歯の知識があるくせに窓を睨みつけたら割れると思ってる中二病で、学校一の悪なのにヘルメットをつけてバイクに乗り、バイクには猫の肉球のステッカーを貼り、密室ホラー学園バトルものなのにマスターキーを首からぶら下げている。

夜人は願いを込めた。半分でも良い。この学園ホラーバトルロワイヤルを観た人たちに自分の書きたいものが伝わっていればいいと。

初日はランキング一位を獲得したらしい。『日本に住む半分以上の人間が泣いた。波乱万丈、怒濤の人生をイージーモードで生きる御手洗源基。その続編』謳い文句はばっちりで、スポンサーも山ほどいるので演出にはお金がかかっていた。

気が休まらない夜人は、やってはいけないと思いつつ某サイトの映画のレビューを見にいく。

すると初日にもかかわらず既に数人がレビューをしていたのだ。

(大丈夫。きっとこのサイトが呼んだサクラの方々だ。きっとそうだ)

そう思いつつもスクロールさせて自分の映画の感想を見た。

名無しの権兵衛さん

★★☆☆☆

『御手洗源基くん役の俳優の名前教えてください。彼を知れたお礼に星は二つです』

永遠に愛したいさん

★★★☆☆

『前回同様で、内容はどうでもいいんだけど御手洗源基くん役のじゅんじゅんが格好良かったので★三つです。尊いです』

名無しの権兵衛さん

★☆☆☆☆

『やっすいミステリー殺人事件かと思ったら、ホラーバトルになって意味が分からん。エロも中途半端。あと人気俳優と人気女優を使えばいいってわけでもない。俳優に頼りすぎ。アニメに芸能人使うみたいな姑息さを感じる』

美空みゆぅさん

★★★★★

『じゅんじゅん、かっこういい（*^_^*）もう内容が頭に入って来ないほどガン見したよ。結婚したいよーう』

スクロールしていく手が、震えだす。

下へ行けばいくほど、レビューには御手洗源基役の人気俳優『八王子ジュン』へのファンコールばかりだった。

夜人は、そんなはずはないと思いつつ前作の映画のレビューも見た。こちらは百以上のレビューがあり、評価はちょうど半々だった。

ヒロイン役の女優とヒーロー役の俳優のレビューが半分ずつだった。

夜人は頭をハンマーでガツンと殴られて頭が三周ほど回った気持ちで、監督に電話をしていた。夢幻監督は、ワンコールで繋がった。

「夜人っ。お前から連絡してくれるとは、嬉し」

「監督、知ってたんですか?」

遮るように怒りをぶつけると、夢幻はテンションを下げた。それを肯定と受け取り、夜人はさらに話を続ける。

「俺の原作が売れたわけじゃなくて、俳優と女優が人気だったから前作はヒットした。だから今回は色んなスポンサーを付けて、俺の意思は無視してスポンサー優先の映画を作って、それも俳優のおかげで売れてるってことですよね！」

スポンサーも同様に、この俳優なら取りあえず売れるからと名乗りあげたにすぎない。

「はは。誰も俺の作品なんて愛していなかったんだ」

「夜人！」

夢幻の制止を振り払い電話を切ると、スポンサーのステッカーを貼っていたヘルメットを投げつけ、ノーヘルで自転車に跨った。

綺麗な都会の夜に溶けてしまいたい。消えてしまいたい。さよならラライ。

そんな悲しみの中、夢中で自転車を漕いだ。

「っへへ。来るなら来いよ。次回作はＮＡＳＡさえスポンサーに来ても平気さ！中身は半分以上も伝わらなくても、誰も見ていないんだから」

夜人の涙が流れ星のように風に乗って消えていく。自分から切り離(はな)した涙は夜に溶けていくのに、自分からは切り離せないんだ。

わあわあと泣きながら、鼻水が流れ星にならずに堕(お)ちる頃(ころ)、携帯(けいたい)が鳴った。

一人だけ着信音を変えていた大切な相手。『八王子ジュン』だった。

「先生、大丈夫っすか。……初日舞台挨拶に来なかったし」

労(いた)わる低音ボイスは甘(あま)く掠(かす)れ、男の夜人でもときめく声だ。夜人は芸能人と連絡先交換(こうかん)したのは初めてだったので、ジュンだけは着信音を『はじめてのチュウ』に変えていた。

「それが？」

「気持ちはわかります。俺は夜人先生の原作すごく好きだったから、今回の身動き取れないような映画、すごく残念だったのは俺も同じ気持ちです」

「ジュンくん」

「俺、この映画の後からお仕事増えだして、本当に嬉しかったんです。先生には、いっぱい大切なものを頂きました。それに大切な人も……」

ジュンの優しい声に、言葉に、夜人は足を止めていた。爪先が付くかつかないかギリギリの高さの自転車の上で、その言葉にすがりバランスを取っている。

「大切な人？」

「……実は、ヒロイン役のりなちゃんと一作目の頃から交際してます」

「！」

今もっとも売り出し中の二人が交際。その発言は衝撃だった。

「それがマスコミにばれちゃいまして、今、両事務所がもみ消すのに大変で……このままなら先生にご迷惑をかけちゃうかもしれません」

「迷惑って？」

「俺たち接近禁止令が出て、共演禁止になるんです。そうしたら会社の力関係上俺は御手洗源基をもうさせてもらえないかも」

ジュンの泣きそうな頼りない声に、夜人は呆然とする。そうなった場合、スポンサーは全部降りる。そうしたら御手洗源基は何も縛りがなく撮れるのではないか。

だが、ジュンがいなくなれば続編は不可能なうえ、彼のいない映画が売れるわけはない。

「俺たち、接近禁止になっても変わらず愛し続けるので意味のない制約なんですけどね。でも先生には言っておこうと思って。どうすれば一番先生に迷惑かけないで済むのかなって」

「俺は……」

自分より何歳も年下で、イケメンで、おっぱいのでかいグラビアアイドルを彼女(かのじょ)に持ち、性格も良いこの男に心配してもらえるような人間だろうか。

この世にさよならララバイしようと、鼻水と涙を流しながらただただ自転車で暴走していたウンコ野郎(やろう)だ。

映画のスポンサーがなんだ。パンチラカットやケチャップやステッカーや窓ガラスがなんだ。

今一番、喜ぶべきことは。

「俺は君が御手洗源基役をやってくれてよかったと思っている。ファンに好きだと言われて、これ以上の喜びはないのだから」

「先生……」

「これで続編がなくなっても俺はもう満足だ。それに気付かせてくれた君に俺も歌を歌おう。はじめてのチュウを」

「先生……それは結構です」

どう転ぶか分からない。けれどもうどこにも身動きができない御手洗源基。

けれどなぜだか嬉しそうに笑う姿しか想像できないのだった。

夜空を見ながら、もう泣くことも鼻水を流すこともせずに夜人は笑った。

映画公開から一週間もせずに、御手洗源基役の八王子ジュンと、ヒロインの白金ゆうりこと愛咲りなの交際報道が発表され、映画は炎上効果でレビューは散々だったが売り上げは上がっていた。

「夜人先生、続編の依頼が来ましたよ」

夢幻もホクホク顔で、何事もなかったように夜人に依頼を持ちかけた。

「へえへえ。どんとこい。でもジュンじゃなきゃやらない」

「もちろんです、それとスポンサーがまた増えましたし、両事務所の監視も入ります」

「どんとこい」

「FBIとNASAです」

「まじか」

なんでアメリカの警察機関が？

だがもう身動きが取れない以上問題はない。

「宇宙を舞台にする映画で、NASAの情報が他の国に漏えいしないように監視されるようです」

「スポンサーじゃなくて監視したいだけか」

「よって続編の『御手洗源基の手腕は世界ではなく宇宙にまで轟き宇宙戦争勃発する中、手も握らない純愛を貫き通す！』は前回以上に厳しい中での撮影ですが、もう大丈夫だね？」

夢幻の言葉に夜人は深く頷く。

こうして第三部『御手洗源基の手腕は世界ではなく宇宙にまで轟き宇宙戦争勃発する中、手も握らない純愛を貫き通す！』は、主演二人の交際報道やスポンサーのせいで身動きも取れず、伝えたいことが半分どころか三分の一ほどの純情も伝えられない中、売り上げを半分落とすだけで喰(く)いとめたのだった。つまり爆死(ばくし)。即死(そくし)だった。

[5分後に笑えるどんでん返し]

Hand picked 5 minute short,
Literary gems to move and inspire you

クライマックス

タッくん

この映画は当りだ。

主人公の爽快なアクションがカッコよく、随所にハラハラドキドキする展開が盛り込まれている。

もうすぐクライマックスだろう。目が離せない。

喉の渇きを覚え、コーラを手に取り流し込んだ。

……あれっ？

コーラなんて買ったっけ？

スクリーンに釘付けだった視線を右下に落とすと、僕の買ったサイダーが置いてあった。

そのまま左側に視線を移すと、一気に半分も飲んでしまったコーラが置かれている。

……

どうやら、隣の人のコーラを飲んでしまったらしい。

恐る恐る目線を上げ、隣の人を確認する。

アロハシャツでスキンヘッド。髯を生やし、二の腕には龍の入れ墨があった。

……ヤバイ。完全に堅気ではない。

幸いなことに、映画に夢中でコーラの存在を忘れているようだ。

どうする？　新しいのを買いにいくか？


駄目だ。こんな時に限って、ど真ん中の席に座っている。クライマックスで立ち上がったら目立ち過ぎて、隣の人がコーラの存在を思い出すかもしれない。何より、このタイミングで動いて因縁でもつけられたら最悪だ。

考えろ、考えるんだ。生き延びる方法を……そうだ！　僕のサイダーは残り半分。隣の人のコーラも残り半分。飲んでしまった分をサイダーで足せばいいじゃないか。暗いし、この人なら気付かない気がする。

「大胆なことを考えるのう……」

なんか呟いた！

映画のことだよな？　一瞬、心を読まれたかと思って心臓が飛び出しそうになったぞ！

やるなら今しかない。素早く、そして慎重に……

「こそこそしやがって……踏みつぶすぞ」

映画のことですよね!?　映画の悪役に対して呟いたんですよね!?

もう少しで終わる……よし、終わった！

そう思った次の瞬間、隣の人が勢いよく立ち上がった。

バレたのか!?　僕の人生は終わったのか!?

固まって動かない僕を見下し、無理やり腕を引っ張る。

もう駄目だ。父さん、母さん、先立つ不孝をお許しください。

「さあ、兄ちゃんも」

「へっ？」

隣の人が拍手を始める。周りを見渡すと、スタンディングオベーションが巻き起こっていた。

やがて拍手は収まる。

隣の人は腰(こし)を下ろし、半分サイダーのコーラを口に含(ふく)んだ。

「終わり良ければ全て良し……見事なクライマックスだったな」

「……本当に、そう思います」

その返事は、心からの声が零(こぼ)れたものだった。

[5分後に笑えるどんでん返し]

Hand picked 5 minute short,
Literary gems to move and inspire you

それは犯罪だぞ

ノリ②

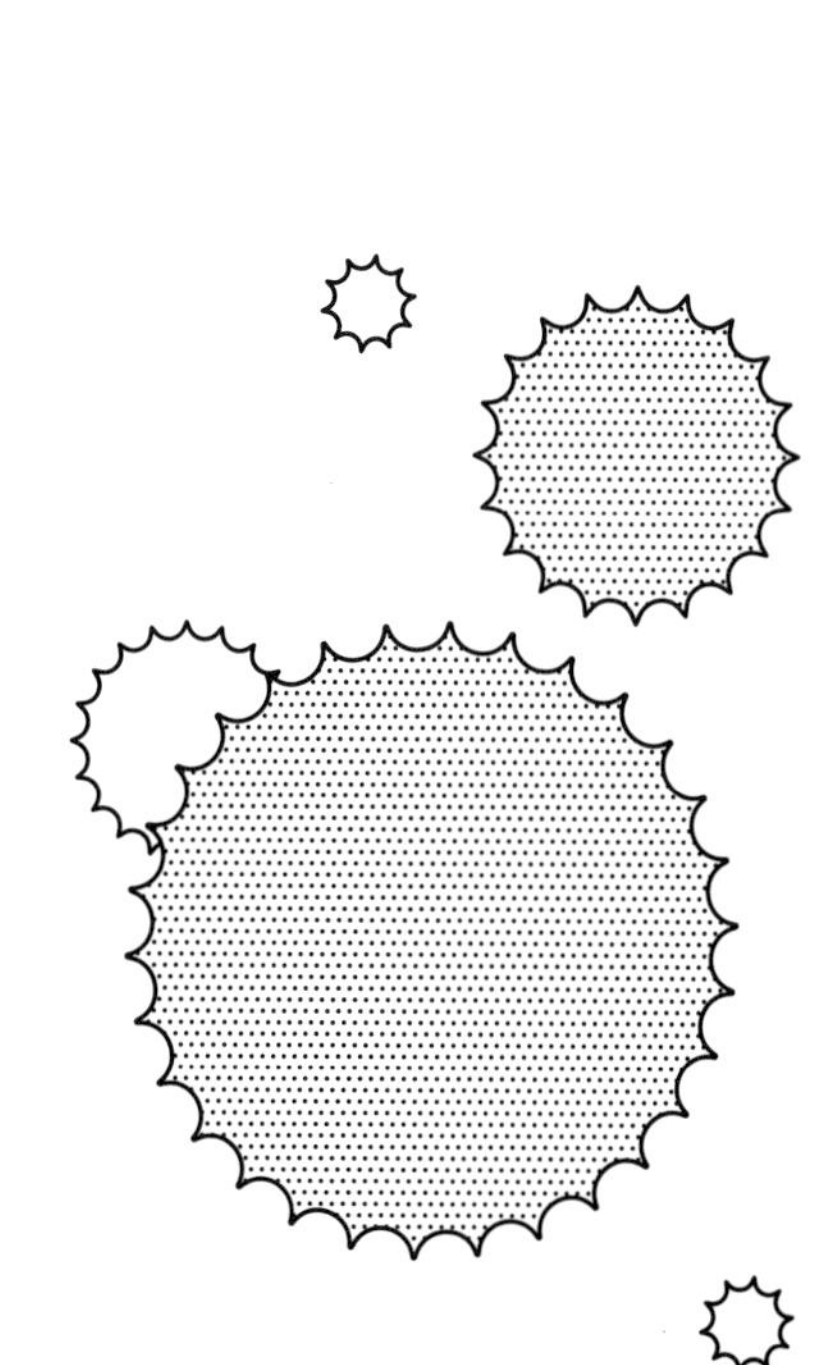

彼女に出会ったのは、もう深夜と言っていい時間だった。

月明かりしかない真っ暗な農道。

いつものように会社からの帰宅中、車通りが少ないことを理由に、ランニングしていた時だ。

突然僕の身体を、雷が落ちたかのような衝撃が突き抜けた。

月明かりに照らされた彼女は、真っ白なブラウスに、膝下まであるスカート姿で僕に駆け寄ってきた。

「ごめんなさい！　大丈夫ですか⁉」

彼女が道路に倒れた僕に近付くと、香水だろうか……何やら甘い香りが僕の鼻腔をくすぐる。

暗くてはっきり見えないが、細い身体に長い髪だけは認識できた。

話し方から、育ちの良さがうかがえる。

僕は彼女に心配をかけまいと、ゆっくり片手をあげた。

「ああ！　良かった！　本当にごめんなさい！　でも大丈夫そうで何よりです」

彼女はそう安堵の言葉を呟くと、僕に添えていた手を離し、ゆっくり立ち上がる。

顔を上げたことで、月明かりに照らされた表情に笑みが溢れたのが確認できた。

「では、私は失礼しますね。お気をつけてお帰り下さいね」

彼女はそう言うと、僕から離れるように歩き出した。

運転していた車に乗り込み、走り去ろうとする。

（待ってくれ！）

そう口に出そうとするのだが、言葉にならない。

どうやら僕が思っていた以上に、僕の心と身体は彼女との出会いに衝撃を受けていた。

必死に声を出そうとするのだが、どうしても言葉にならない。

「う……あ……」

彼女が行ってしまう。

こんな運命的な出会いは、生涯二度とない筈だ。

何とか名前だけでも……

いや……それより……

「は……救……急……」

ダメだ……

意識が薄れてきた。

……それは轢き逃げっていうんだぞ……せめて救急車を呼べ……

［ 5分後に笑えるどんでん返し ］

Hand picked 5 minute short,
Literary gems to move and inspire you

雪猫歌姫と鋼の将軍

仙冬可

宣願皇紀一五三年、雨の月。

乾季の終わりを告げる雨は豊作の象徴として喜びと共に迎えられる。

騎馬民族に追われ、大陸中央から流れ着いた祖先をもつゆえに独特の風習が残っている地。

大国に統治されているとはいえ祭りには寛容らしい。受け継がれた風習は今も続く。緑の葉を丸め杯にして今年初めての雨＝甘露を飲み干すと幸運を呼ぶといわれている。また、猫の顔を洗う仕草が雨を呼ぶとされこの時期には猫を大切にする。

猫の形の軒飾りも色とりどりで目に楽しい。

とはいえ古今東西、祭りにおいて人々が求めるのは日常からの解放だろう。

特に若者にとっては由来など話題にもされない。祭りにかこつけて行われる恋の鞘当てのほうが重要なのだ。

葉を丸めて雨を飲むという風習も恋を伝える方法の定番となっている。軒先やテラスで手を濡らす女性に男性が葉を丸めて渡す。

最近では葉の意匠のグラスを差し出すのも流行っているらしい。

少し、ほんの少しグラスを傾けて雫をこぼし、

「濡れましたね、大変だお嬢さん。今度あなたに服を贈るのでお名前を教えてほしい……」

などと甘い口実とするそうだ。

乾いた季節に別れを告げ大切な人と過ごす。

由来はどうあれ、恵露節はそういう夜だ。

便乗しているのは恋人同士だけではない。

客商売も恩恵を受けている。

酒を出すような店はもちろん、『猫愛で』と呼ばれる少女舞踊にとっても稼ぎどきだ。

いくつかの舞踊団が軒を並べ、踊り子を抱えている。依頼があれば宴席や劇場へ送り出す。

どの舞踊団も少女ばかりで構成され、時に男装して演じる。

客は少女のなかで気に入ったものを支援する。そして年に一度、競わせるのだ。

衣装や楽士、流行りの化粧を与えて宴席で踊らせる。

それが大人の女性であれば恋情が絡むのだろう。

この地では、踊り子は巫女の流れを汲んでいるのか無言で踊る。たとえ経済的支援を受けていても客に媚びないのが鉄則。そんな様子が気まぐれな猫を愛でる様子を思わせる。客は菊花の品評会のように、少女の芸を磨きあげる。

舞踊団「胡蝶」もその一つである。

しなやかな肢体の少女たちが踊るそばに竪琴を持ち控える年長の少女がいた。

雪猫の歌姫と呼ばれる、ハーニャだ。

この国が征した、大陸の端の異民族であることを示す白銀の髪。白い肌。

いつも白い着物を着ている。

その姿は高地に住むと伝えられる雪猫を思わせた。

黒髪の女たちの多いなかでハーニャは目を引いた。

ここは西域へのルートなので多種多様な女を揃えている。異民族との混血の少女や、キャラバンの流浪の女が産み落としていくことさえある。

交易品と人種の交わる地。

そんなこの地でさえ、ハーニャほど色素の薄い者は居なかった。

物珍しさから買われたが、踊り子としては使い物にならなかった。言葉使いも子供のようで作法もぎこちない。ぽつんと座ったままでは、客の熱も引く。基本的に表情が乏しい。髪の毛が細く結えない。団長も女将さんも匙を投げた。ハーニャには黙って微笑めばいいと言った。子供のような下ろし髪で竪琴を弾く。

ただ、歌は素晴らしかった。

ハーニャの歌は故郷のもので、意味はわからずとも胸にしみる。

今ではこちらの詩曲も覚えて、宴席で人気となっていた。

宴席に向かう路地で酔った女に絡まれた。昨年までは別の舞踊団の踊り子だった黒猫という愛称の女だ。

「あら、今年は氷みたいなあんたも余裕ね。ユン将軍を捕まえて大きな顔をして」

踊り子は十五、六歳で卒団するものが多い。その後は色香を武器とする酒亭や踊りを指導する側、帝都の劇場で女優になった例もある。

十九になるのに踊り子でもなく色香もないハーニャは異例だ。だから疎外され時に言い掛かりを付けられる。

黒猫を見ると髪の結い方も大人のもので紅の剝げた唇は、ぽってりとしていて色っぽい。もう今日の酒席は済んだんだろうか。

そう考えて、黒猫の不機嫌に合点がいく。

今日は、大切な家族と過ごす日でもあること。

上客でも舞台に上がることは少なく心付けもないだろう。

こんな日はしつこそうだから無視する。

「なによ、どうやって鋼の将軍に取り入ったのか知らないけど、あんたが楽しませられるとは思えない！　氷女！」

背中に投げられた言葉に、つい答えてしまいそうだった。

（こっちが聞きたい！）

上階の室に向かうと、扉の前で息を吸う。

「波寧安でございます」

声をかけずともよいと「彼」に言われているが、団長に与えられた漢字名を口にすることで、ハーニャも「仕事」の始まりだと体に叩き込む。

いくつかの曲を爪弾いても男は喋らない。

ため息しか出ない。

男は、大きな体軀を絨毯とクッションに預けている。

「鋼の将軍」と呼ばれるユン将軍は、甲冑を外し私服であっても分厚い体から威圧感があふれ出す。

金の使い道がないのだと若い兵を連れてきて踊り子を呼び、自分は濃い色の酒を飲むだけ。珍味にもそれほど興味ないらしい。

塩を舐めて酒を飲まれた時には、厨房が哀れに思えた。

服は少々金がかかると言っていたが、それは贅沢というより布代と仕立て屋泣かせの注文のせいだ。足さばきのいいように、裁断から変えてあるとか。

つくづく遊びの下手な、酒につまみすら必要としない男なのだ。

踊り子を育てようともしない。宴席でお酌をする綺麗な姐さんにも無表情。

女と共に訪れたこともなかった。

いつもつまらなそうにしている。なんで来てんのアンタ、って言ってやりたかった。

過去形。

なぜなら宴席への指名を重ねた挙げ句、ここ半年ほど一等室にハーニャを呼ぶからだ。

呼ぶというのは適切ではないかもしれない。

ハーニャに室が与えられている。

今まで、踊り子に恋をして囲いこむ客がいたことはある。遠方から踊りの師を招いたり、特別な扱いをされる踊り子がいた。宴席での姐さんたちに見向きもしなかったユン将軍が歌姫に恋をしたのかと、噂になったようだ。

けれど、指一本触れないのである。

それどころか会話もろくにない。

一応、口説かれる覚悟をしていたので、肩透かしもいいところである。

踊り子でもなく酌もしないハーニャは舞踊団のお荷物だから、団長と女将さんは喜んでいた。

(伴奏のためだけに団に置いてもらってたけど、いつまでもそうもいかない)

好きでもないが嫌いでもない相手に買われ、対価を払えないというのはじわりじわり炙られている気分だ。

ユン将軍は少年たちの憧れの存在だ。

異国の農民の出らしいのだが、戦場で名を上げ身一つでのし上がった。

文字を知らぬ農民にも彼を主人公にした画本は人気だそうだ。

また貴族の派閥に染まらぬ将軍というのは前例がない。ひとたび前線を駆ければ自らの体で士気を高める。

忠誠心厚く醜聞もない。

噂では、さる貴族が婿にと打診したとか……。元の身分はどうあれ英雄に手綱をつけると旨味も多いのだろう。

「将軍も恵露節の舞踊を御覧(ごらん)になってはいかがですか」

竪琴の調律をしながら言うと、首を振(ふ)って否(いな)と示す。

だろうと思った。が、相変わらず無口な男だ。

「私には馴染(なじ)みのない祭りだ。異国の出なもんでな」

おお、喋った。

珍しい。雨が降るんじゃないか。あ、もう降ってた。

無駄(むだ)にいい声なんだけど、慣れるほど喋ってくれないのでドキドキする。

「どちらの……」

言いかけて止める。

こういう場で聞き出していいことではなかった。

ユン将軍はどこの出身か謎(なぞ)なのだ。

「構わない。隠(かく)しているわけではない。混血なので、憶測(おくそく)を生むのだが。西北の寒い地域の出身だ」

ああそれでは近いのかもしれないと思った。

ハーニャの生まれも、その先のずっとずっと向こうの寒いところ。

どこまでも憂鬱(ゆううつ)な色の空。その隙間(すきま)から差すわずかな光は女神の髪のよう。雲は色の濃さを変え、上空は吹雪(ふぶ)いているのだろう。一年のほとんどがそうだった。

水の音が春を告げ、雪原の一部が短い苔(こけ)に覆(おお)われる。それが短い夏のすべて。

故郷のことを思い出すことなんて、ここ数年はなかったのに。

目の前の彼を少し恨(うら)めしく思う。

彼が珍しく料理を頼(たの)んだらしく、運ばれてくる。

肉料理に、珍味、泡酒(あわざけ)……果物。

彼も恵露節を祝うのだろうか。

いや、そんなはずはない。

もし彼が祝うとしたらこんな場ではない。

自分が相手のはずもない。

ちゃんと家庭で祝う人だ。

無口で愛想もないがこの半年でわかった。知りたくなかった。

彼は、伴侶を選ぶのだろう。そう遠すぎない未来に。

独身の間にちょっとした遊びの思い出が欲しかったのかもしれない。

運ばれてきた野菜の盛り合わせが目に入った。

「食べないか」

それはハーニャの好物だった。

故郷の短い夏には行商人が野菜を売りにくる。

氷に閉ざされた期間には食べられないものだった。凍った肉や魚と交換する。皆、奪い合うように求めた。

こちらでも野菜は女性に好まれるが肉や魚の添え物だ。

ユン将軍は、小壺の蓋を取る。

香りが胃を締め付ける。

「懐かしいか？」

嗅覚は記憶を揺さぶると言ったのはどの客だったかしら。

本当に、そうだ。
そのソースは、ハーニャの故郷のものだった。
「どうして、ご存じなのですか」
声が震える。
「昔話をしよう。
俺は、平民……それも、貧しい農村の出だ。
欲しいものを手に入れるには成り上がるしかなかった」
灯りがゆらゆらと影を作り、彼の声が積もるように甘い。
いつもより距離も近い。
視線が恥ずかしくて、杯を口へ運ぶ。

「お前の髪は、子供の頃からそんなに輝いていたのか」
「い、いいえ。ここに売られた時には白髪のようで気持ち悪いと女将さんが言って
いました。洗って梳り油をつけていたら、銀色に。栄養も足りていなかったのだと

思います」

将軍の手が髪をすくい頬に小指が当たる。彼の身体のなかでは最も小さな部分ですら、ごつごつして戦いに慣れた手だとわかる。

「お前をここから出す」

息が、上がった。

「俺がお前をここから」

なぜ今になってこんな声で、まるで心があるかのように言うの。

なぜ触れるの。

閉ざしていた氷に光が当たるように。

ひびが入って。

雫が伝う。

「拒むな」

命令ではなく、目で乞われる。

頷くと、腕のなかに捕らわれた。

なんて強い檻(おり)だろう。

人に求められることが、目の奥(おく)を焦(こ)がした。

たとえ一時の気まぐれでも。

再び杯に手を伸(の)ばそうとして……


ユンは倒(たお)れこんだハーニャの背を抱(だ)き止める。女将が気を利かせてハーニャに甘い酒を出すように指示していたらしい。

初めての酔いが酷(ひど)くなければいいが、と気にかかる。同時に彼女(かのじょ)が本当に酒客の相手をしてこなかったことに安堵(あんど)する。

自分の手を見た。

思ったより時間がかかってしまった。

地位を得ればすぐに手に入れられると思っていたのに。

氷の歌姫の噂を聞いた時にはまだ半信半疑だった。

歌は故郷の訛(なま)りのない王都のものだった。

「俺はお前を探していた、そのために村を出た」

ユンは細く切られた野菜をかじる。

「軍では皆、肉に群がっていたが、俺は野菜ばかり食っていた。笑われたもんだ。それでもこのソースがなくて、自分で作ったんだ。それをここの厨房に持ち込んだ」

「どうして……」

「お前が、忘れてると思ったから」

記憶に蓋をしたこと自体を、忘れていた。渡された水を少しずつ飲む。

遠い夏の日、自分は行商人に拐われたのではなくて。

父母に売られたのだと。

「家族になろう、〇〇〇」

ハーニャは、弾かれたように顔を上げた。

それは、正しい発音で告げられた名前。

この国では聞けなかった正確なもの。

彼女は、野菜をかじった。

彼のなかに、幼い頃に追いかけていた少年の面影を見つけた。

もう自分が泣いているのか笑っているのかわからない。

「あなたは……」

幼馴染みの名前は乾いた唇から出るのを拒んでいた。

掠れた息が、喉に当たってぐるぐるとくぐもった音を出す。

ハーニャの故郷の寒冷地では、その発声になる。

頷いたユン将軍の喉も鳴っていた。

寡黙で知られたユン将軍は、愛しい少女の現在の姿を逃さないとばかりに、見つめていた。

「兄ちゃん、本当にユんグ兄ちゃんだか？」

「んだ、バーにゃ探して時間こんなに過ぎちまった」

「夢みってえだ」

翌朝、二人は故郷へ旅立った。

寒い、閉ざされた地。

馬車に揺られて猫のように丸まって身を寄せてくるバーニャに、ユングは目を細めた。


短い夢を見た。

繰り返し何度も見た夢。

少年は少女が売られたと知って、必死で駆けた。

少女の両親は少年の家に借金を返しにきた。そのさまざまな色の小銭がいなくなった少女の値段だと知って、少年は荷馬車を追いかけた。

隣の大きな集落で行商人に追い付いたが、人買いに手筈通りに渡したと言われた。

「よくも、ひどいことを」

殴りかかるユンに、一発だけ殴られてくれた行商人は長い足で蹴り飛ばした。

肩から地面に落ちた。

「坊主、覚えておけ。ひどいのは俺だけじゃない。だからといって大人は汚いとか女の子を救うとかほざくんじゃねえぞ。それだと、ガキの遠吠えだ」

男は、荷車の萎びた大根でユンの頬を叩いた。

「お前らの村では生きるだけで勝ち組なんだよ。あの女の子もな。都なら仕事があるし多分大人になれる。お前も、這いつくばって大人になるんだ。汚い大人にな」

無力だった。

確かに村の年寄りや子供は冬を越せないこともある。青い顔で歯茎から血を出して死んだ祖父や痩せた弟妹を思う。

「汚い大人になって、それでも欲しかったらその時は大人のやり方で手に入れろ」

行商人の男は行ってしまった。

悔しいが、男の言うとおり。子供のままではこれ以上追っても無駄だ。

カラスがねぐらに帰る。

いつか、彼女を連れて帰る。

膝を折り、叫んだ。
「おら、都さ出て偉くなって、バーニャ買うだ————!!」

ガタン
揺れに夢が断たれる。
いつもと違うのは隣にある温もり。
もう離さね。

この物語は後に都で芝居となり人気を得る。
この野菜料理がバーニャカウダの原形である。

※大嘘です。

［ 5分後に笑えるどんでん返し ］

Hand picked 5 minute short,
Literary gems to move and inspire you

妄想論（もうそうろん）

小湊くろおる

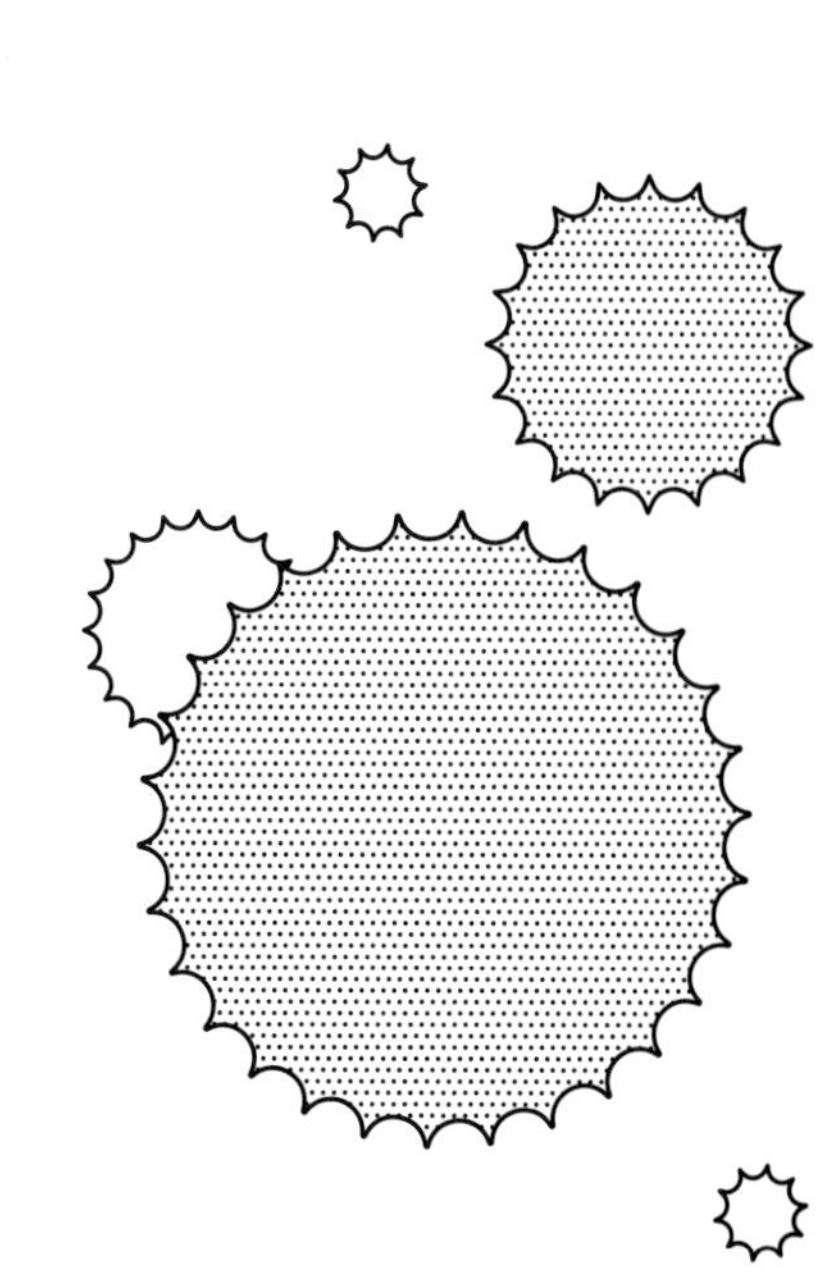

私は鬼頭春夫。四十三歳。

私は十年前に、郊外にマイホームを購入した。

妻が二人目を妊娠した時に、その決意をしたのを覚えている。

そのため、通勤時間は、それまでの倍は掛かるようになった。

私にとって、通勤時間が長いことは、自由時間を得ることに等しい。つまり、歓迎すべき要素だ。

本を読んでもいいし、居眠りすることだってできる。今はタブレットＰＣで、ＷＥＢ小説を書くことを密かな楽しみとしているため、その時間にも充てられる。

こんなにも楽しい時間はないと思っている。

ただ私は、駅から家までのバスだけが、どうしても嫌いだった。

空っぽだった車内が、だんだんと賑やかになっていく朝の通勤は良いのだが、たくさん乗っていた客が、徐々に減っていく帰宅時は、とても寂しく感じるからだ。

タブレットでの執筆活動に集中している時などは、特にそうである。

ふと、気がつくと、広い車内にただ一人ということも少なくないし、このまま、知らない場所に連れていかれるような錯覚を引き起こすことだって、なくはない。

加えて言うなら、バス停から我が家までの道のりも、また遠い。

我が家は、ある森を造成して、むりやり新興住宅地にした辺鄙な場所にあった。

そのため、未だに買い手の見つからない土地もあり、どことなくうら寂しい地域である。

だから私は、自動販売機と、まばらな間隔で設置された外灯の明かりを頼りに、ほの暗い道のりを辿って、家路につくことを常としていた。

(今夜もこんな時間になってしまった。車内は私一人だ)

最後部座席に身を任せ、信号待ちをしているバスのエンジンに揺られながら、私はそんなことを思った。

次の停留所は――――でございます。

夕飯を買うなら、降車ボタンを押さなければならない。

次の停留場を過ぎると、その先にコンビニはない。

私は、「帰ります」と打ったメールの返信を見るために、急いでスマホを開いた。

しかし、妻からのメールは来ていなかった。

いつもは、『お疲れさま』と、必ず返答があって、そのついでに、夕飯のことが書いてあるはずなのだ。

（何かあったのか？）

一抹の不安がよぎった。

体調が悪くて、ベッドで臥しているのかもしれない。

だったら、コンビニに寄った方がよくないか——

迷っているうちに、バスは停留場を過ぎてしまった。

（仕方がない。もしなかったら、ビールでも飲んで寝てしまおう）

そう思いつつ、未練がましく外を見てしまう。

これが自分の悪い癖だ。何事も、この優柔不断さで、損をしてきた。

しかし、今日はラッキーなほうに転んだ。

なんとコンビニを通りすぎる際、灯りが消えていることに気づいたからだ。
改装？　閉店？
分からないが、とにかくバスを降りなくて良かったと思った。
（まあいい）
私は気を取り直して、再び執筆活動に移った。
集中したせいで、画面とのにらみ合いが、何分続いたかも分からなくなっていた。
ただ、バスの運転に妙な違和感を覚えたことで、ふと我に返った。
（何だこの抑揚のない走行は……）
私は不安になり、ガラス越しに外の様子をうかがった。
すると驚いたことに、外は真っ暗だった。
ヘッドライトの明かり以外の、灯りという灯りが、街から消えている。
外灯から自動販売機、民家に至るまで、灯りがなくなっていた。
つまり漆黒の闇だ。
とろとろ走っていたのは、事故を警戒したからだと思われた。

私は、この状況に異常さを感じた。

まさかこの地域一帯で、停電でも起きているのだろうか。

妻と子供たちの安否が気になった。

私は運転席に近寄って、事情を聞いてみることにした。運転手なら何かの情報を、無線で受け取っているかもしれないと思ったからだ。

私はよろけながらも、後部座席から運転席の横まで移動した。

「――すみません。なんか、すごいことになってますけど、大丈夫ですか？」

運転手は無言だった。無言で、ただ前を見て、微動だにしなかった。

顔面蒼白で、焦点は定まっていなかった。

「――あの」

その時だった。

運転手が、いきなりカタカタと揺れだして、「あー」と大きな口を開いた。

その口からは、ヨダレが溢れだし、白目を剝いていた。

（完全に常軌を逸している！）

そこから、急に速度が上がり、私は危険を察知して、後ずさった。

その瞬間、バスは道路から外れ歩道に乗り上げた。

フロントガラスに、すごい勢いで電柱が近づいてきていた。

いや違う。こっちが電柱に向かっているのだ。

思ったのもつかの間、大きな破壊音と同時に、フロントガラスが粉々になって飛び散った。

私は支柱にしがみついていたから、なんとか大事は回避できたものの、運転手はフロントガラスから身体半分が飛び出していた。

バスが電柱に突っ込んだらしい。しかし、エンジンは生きている。

私は炎上を危惧して、運転席へ急いだ。

イグニッションキーをオフにして、大きく息をつく。

(いったい何が起きているんだ)

「ウガー!」

(何だ?)

突然、運転手が叫びだし、私に襲いかかってきた。

フロントガラスに突っ込んだことで、前頭葉が陥没して、顔の皮膚もめくれあがっている。そして、血まみれだ。

運転手は私の両肩を痛いくらい摑んできた。

（こいつは、私に嚙みつこうとしている。この感じ、何かで観たことあるぞ）

私は、それが何であるか、必死に考えた。

（わかった。生ける屍。ゾンビだ。こいつに嚙みつかれたら一巻の終わり。私もゾンビになってしまう）

私は懸命にゾンビの首を両手で押さえた。そうでもしないと、手首をかじられそうだったからだ。

幸い相手は非力だった。

そのため、相手を割れたフロントガラスに押しつけるのは容易だった。

一瞬の隙をついて、口の中に運転席の座布団を押し込む。

そして、タックルの要領で両足を担いでから、バスの外に放り投げた。

後ろを振り向いた際に、バスの中扉が開いていることを確認した。

突っ込んだ衝撃で開いたと思われる。

私はすぐに、そこから外に飛び出して、遮二無二走った。すぐにさっきのゾンビが、追いかけてくる筈だからだ。
二、三百メートルも走ると、私は息が切れ始めた。
意を決して振り向いてみると、ゾンビは間違いなく、私を追いかけてくるようだった。

ゆっくりゆっくりと、歩いている。

（助かった。ダッシュ系じゃなかった――）

何しろ昨今のゾンビは、ダッシュ系といって、走って追いかけてくるゾンビも多い。

私は走るのをやめ、とりあえず漆黒の闇を歩くことにした。見上げると、銀色に光る月だけが唯一の灯りだった。

なぜか月を見るだけで、恐怖を払拭することができた。いや、むしろ高揚感すら得られるのが不思議だった。

息切れも止んでいる。

私はとりあえず、我が家に向かって歩くことにした。

そして、もう一度スマホで、家族の安否を確認しようとした時――

またもや、嫌な気配を感じた。

微かに血の臭いを感じたのだ。距離にして、三百メートル。

(恐らく二人、いや、三人だ)

じわじわ近づくそいつらから逃げるため、鞄を棄て、いつでも走れる準備をした。

(いつくる?)

両手で汗を握りしめた。

後ろを気にする。

刹那。

前方からとてつもない勢いで、ゾンビが走り込んできた。三名。しかも、ダッシュ系だ。

私はもんどりうって、踵を返した。しかし、後方のゾンビもこっちに向かってきていた。

(囲まれる)

しかし、考えている暇はない。

私は左手のビルの金網をよじ登り、ビルの敷地内に逃げ込もうと考えた。

金網のてっぺんで振り向くと、すぐそこにダッシュ系の三人が見えた。

その中の一人が、金網を壊す勢いで、猪突してきた。

ガッシャーン。

(ヤバイ!)

その瞬間、バランスを崩し、私は、ビルの敷地内に背中から落ちた。

奴らはもう、金網を越えて、私に覆い被さろうとしてくる。

シャー、グルル、シャー、グルル。

歯を剝き出しにして、私を狙っている。

飢えた屍だ。

たとえこいつをやり過ごしたとしても、次の奴らが金網をよじ登っている。
(ここまでか――)
(もう諦めるしかない――)
奴らの背中越しに見える月が眩しかった。
……
一瞬意識が飛んだみたいだ。
死んでない。まだ意識がある。
しかし、それが何だというのだ?
現状が打破されたわけではない。
苦し紛れに、私は叫んだ。
突如、身体が焼けるように熱を帯び出した。同時に、皮膚が引っ張られる感じもある。
自分の身体に、何かが起こっているのかもしれない。
これがゾンビになるということなのか――

血が沸騰して、逆流しているかのように、頭から足の爪先まで、染み渡っていくのが分かる。

身体中が痛い。ボキボキと骨が鳴っている。

(いや、なんか変だ)

その時だ。

私の視界いっぱいに、ゾンビの顔が迫った。

喉の奥まで見えるくらいに、口を開いている！

私はほとんど無意識に、両の拳を荒々しく振り回した。手応えはあった。

(――いや、ありすぎだ。なんだこの力は……)

目の前のゾンビは、頭がぶっ飛び、首なしの状態で、真の屍に変わり果てていた。

身体を失ったゾンビの頭が転がっていた。

私は立ち上がり、次に襲いかかってくるゾンビに構えた。

その時だった。

ビルの窓の自分と目があった。

そして、固まった。

窓に映っている私は、狼(おおかみ)だった――

月光を反射した窓に映った私は、みるみるうちに、身体中の筋肉を隆起(りゅうき)させていった。

着ていたスーツを次々と破り、針金のような毛がはえ、獣化(けものか)していった。

(――――狼)

(……男?)

ウワァォォォォォォォォ。

私は月に向かって、吠(ほ)えた。

身体中に、なんとも言えない幸福感と、エネルギーがみなぎった。

私の前に、残りのゾンビが立ちはだかっても、なんの恐怖もない。むしろ、破壊したい衝動(しょうどう)を押さえきれなかった。

周りを見渡すと、遠くに何体ものゾンビがやって来る姿が見てとれた。

(フフ……面白い)

私は闇夜の隅々まで届くほどの声を出して笑った。

爪を立て、牙を剥き出す。

そして、奴等に向かって、地面を蹴った。

「なんだコレは……」

「――閣下、それが、サンプル№１４５６鬼頭春夫の持っていたタブレットＰＣの中身でございます、ご覧になって分かるように、ここまでで、サンプル№１４５６の鬼頭春夫なる男のブンショウは、途切れています」

そう言ったのは、人型をした異星人だった。人間の形はしているが、中身は透明で、メロンソーダのような液体が入っているように見える。

「ウーン、ナットクデキナイな」

そう言ったのは、ブルーハワイシロップのような液体の人型異星人だ。

長身で精悍なメロンソーダに対し、ブルーハワイシロップは、背が低く小太りであった。

チューペットを人型にしたような異星人は、明らかに不気味であった。

この二人は、侵略前の調査で地球に来ている、その星の閣僚と部下である。

当然、メロンソーダとブルーハワイシロップの間には、明確な主従関係が成り立っていた。

ブルーハワイシロップは、メロンソーダから手渡されたタブレットを、先程から、ためつすがめつしている。

そして、何度も、何度も、鬼頭春夫の書いた文章を読み直していた。

「このブンショウとかいうものは、地球特有の原始的な記録媒体でありまして、ワタシたちの星にはこのような習慣は皆無デスガ、この星にはニッキやブログという行動記録の習慣があります」

「フム……それはワレワレの星にも通用するガイネンだ」

「そうです。ブンショウなどというものではないデスガ、ワレワレの星では、記憶を一瞬にして保存できますからね」

「では、どういうことだ？　ワシは、ずっとこの男の行動をカンシ調査していたのだぞ。なんだこれは、男の行動とは全く別のもんじゃないか。狼男になんてなってないし、ゾンビも現れてイナイ。現に今も、この男は、家に帰って、フロで鼻唄(はなうた)を唄っている」

「閣下のおっしゃること同意デス。ジツハ……ワタクシメも、ニッキやブログを、バスの車内で書いていると思っていたのデスが……中身はエソラゴトばかりで」

「エソラゴト？　何だそれは？　ナニガ言いたい？」

「この星の星人たちは、今までワレワレが、侵略してきた星と違い、特殊(とくしゅ)な能力を持っているようです」

「なんだと！　それは危険なモノか？」

ブルーハワイシロップは身を乗り出す。

「ソウゾウリョクというモノです」

「なんだそれは、ワレワレの星にはあるのか？」

「残念ながら、ワレワレには持ち合わせていない能力です。クウソウやモウソウと言ったりもするらしいのですが、この星の科学の発展や、医療の発達、文化の奥深さのミナモトは、全てこのソウゾウリョクなのです」

「ナント！」

「つまり、脳のなかで、ゼロから何かを作り上げたり、現実のものと組み合わせたり、モウソウ同士を見合わせたりして、全く異質なものを作り上げるのです。その組み合わせは、ムゲンです」

「――ムゲン」

「このタブレット……鬼頭春夫なる星人が書いていたものは、ソウゾウリョクをブンショウにした、ショウセツというモノです」

「ナンだと！　ナ……ナンダソレハ。そんなのムテキじゃないか」

「確かにある意味ムテキです。論理を無視して、ナイモノを産み出す力なのデスカラ」

「この男が書いている、ゾンビや狼男なんて、本当はこの星には、居ないのデス」

メロンソーダ男は、調査した限りの人間の『想像力』を説明した。

この星のアニメも漫画も映画も全て実際には、ないものだということを。

「なんということだ……デハ、今までのチョウサにあったタイムマシンや、巨大カイジュウとか、宇宙カンタイなどは……」

「存在しません。ソウゾウの類いでございます」

「では、ワレワレの軍が日々対抗手段を研鑽しているのは、無駄だというのか――ワシはこの星のショモツや、エイガから、この星の歴史を学んだんだぞ。それにどれ程の時間を費やしたと思ってるのだ」

「残念ながら、無駄骨でゴザイマス」

「ええーい。ナラバ、今すぐこの星を侵略してしまえ」

「それは危険でゴザイマス。このソウゾウリョクというノウリョクは、この星の危機を何度も救ってきました。恐らくワレワレの文明など、すぐに取り入れられて、ハンゲキされるでしょう」

ウヌヌ……

ブルーハワイ男は、歯嚙みした。

「ここは一旦、我が星に戻った方が良いかと……」

メロンソーダ男は、かしずくようにして言った。

ブルーハワイ男は、ギリギリと歯嚙みした。

「シ……仕方あるまいな」

「では、次に、この星に来られるのは、この星の暦で何年後だ？」

「五百年後です」

「ゴ、ゴヒャクネン！　ゴヒャクネンもあったら、この星の文明は……」

「計算では、三百二十五年と六十九日で、ワレワレの文明を追い抜くことになります」

（なんということだ……）

ブルーハワイ男は、大きくため息をついた。

（疲れた……もうイヤだ……）

（こんな変な星、もうイヤだ……）

（帰ろう）

これは、侵略どころではない。三百二十五年後に向けて、ワレワレはこの星からの侵略に、警戒しなくてはならないではないか。

「イカガいたしますか？　閣下」

「帰るに決まっている。早く元首に報告せねばならん」

そう言うと、二人は亜空間速航装置に乗り込んだ――

こうして地球は、かつてないほどの危機から救われた。

きっかけは、ごく普通のサラリーマンの、鬼頭春夫が書いたＷＥＢ小説である。

「ゾンビVS.狼男」

まさか、ゾンビと狼男が地球を救ったことなど、この地球上で誰一人として知らないだろう。

これこそが、止まることを知らない進化の根源。
我が人類の最大の能力。
——妄想である。

［5分後に笑えるどんでん返し］

Hand picked 5 minute short,
Literary gems to move and inspire you

【職人気質】

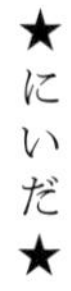

「うわっ、やっちまった……」

と、俺は自分の頭をかきながら呟いた。


つい、さっきの昼メシ時……

俺は、おっかぁが作ってくれた弁当を食おうとして「さて、ついでに目を休ませようかな」と、メガネを外して脇に置いたんだが……

うっかり下に落としてしまい、その上、勢い余って踏ん付けて『パリン!』と、割っちまった。

「あっ!」

と、気付いた時には、もう後の祭り……

まあ……

一度、割れちまったモノは、もうどうにもならねえわな……

「…………」

目の前の景色が……

ぼんやりと、ぼやけている……

マイったな……

午後からも、現場だってのに……

「ま、しゃーないか」

多少、視界は霞んではいるが……

俺は、この仕事を随分と長く続けているんだ。

長年、現場で鍛え上げた『仕事の腕前』と『カン』だけは誰にも、ひけを取っていないツモリだ。

それさえありゃ、何とかなるってもんだろ。

確かに、世の中に目を使う仕事ってのは、たくさんある。

俺の仕事だって、まあそうだわな。
でもよ。
いくら、目がスコーンと、よく見えたってな。
肝心のソイツの腕前とカンが大したことなけりゃ、ろくな仕事もできないってもんだ。
俺も、今の仕事を長くやってるうちに、すっかり歳を取っちまったが……
それでも、そこいらのペーペーには、まだまだ仕事の腕前は負けちゃいないツモリだ。

俺は……これまでもいろいろと、きっちり、こなしてきた。
実は、今まで一度だってヘマしたことなんてないんだぜ。
だから、俺は上のヤツラからも覚えが、めでてぇんだ。
そんな訳で、俺はこれまで何度も現場の責任者を任せられてるってわけさ。
あ……

でも、五年にイッペンくらいは、ちっさいヘマしたかな（笑）
ま、まあ……俺のヘマなんて、まだ可愛いもんさ。

こないだなんかよ。
マサの野郎……
仕事で、どえらいヘマやらかしやがって……
その上、死人まで出しやがった！
もう、そうなりゃ上を下への大騒ぎさ！
そんで、とうとうマサの野郎……仕事クビになっちまった。
あの野郎……
一体、今頃どこでどうしているのやら……
まあ、でも当然だわな。

たまによ。

『世の中には完璧なんていやしない。どいつもこいつも、たまにはヘマをするもんだ』なんて事を言うヤツがいるが……

いいかい？　仕事ってもんはよ。ヘマをしないで、最後まできっちしこなすのが仕事ってもんなんだぜ。

だから相手も、そういう俺たちを信用して金を払ってくれるんだ。

そう考えると、信用ってもんは、本当に大事なもんだよな。

その信用のおかげで俺たちは、おまんまを食っていけてるんだからな。

実は、よ……

俺も家に帰りゃ、ちっちゃいガキドモが三人もいてな。

俺は、ソイツらを毎日、食わしていかなきゃならねぇ。

そういうワケで、俺はガキドモのためにも、毎日きっちり仕事をこなして金を稼がにゃならねえんだ。

まあ、世の労働者は皆、そうだけどな。

あと、それとだな……

『腕前』や『カン』の他に、仕事をする上でめちゃめちゃ大事なもんがある。

それは……何と言っても、ピカイチな『道具』だ。

これが、ニブってちゃ、いくら俺が長年の腕前とカンを振るいまくっても、ヘマやらかしちまうかもしれねぇ。

その点、今、俺たちが使っている道具は、使い心地もバツグン。

この素ん晴らしい道具のおかげで俺たちは毎日の仕事をきっちりとこなしていけるってわけだ。

あと、な……

良い仕事をするのに必要なのは『良い仲間』だな。

良い仕事をするにゃ、気心が知れたツーカーの良い仲間が、周りにいなけりゃならねぇ。

まあ、そう言っちゃあいるが……

実際、仕事のほとんどは、この責任者の俺様が一人で仕切ってるみたいなもんだがな。

アハハ!!


おっと!

忘れちゃなんねえ!

良い仕事に必要なのは、何と言っても、家で、おっかぁが毎日作ってくれる愛情こもった弁当だぜ!!

実は、これが一番、大事だったりしてな（笑）

まあ……

てな訳で、俺は大事なメガネを壊しちまったが……

それほど、ビクついちゃあいねぇんだよ。

確かに……

多少、目の前はボヤーッとしてるが、いつもの様に、きっちし仕事をこなしてみせるぜ!!

「よし!!」

と、俺はまさに気合い十分で、周りにいる仲間たちに向かってイセイよく号令をかけた!

「そんじゃあ、始めよう!!　みんな!　午後からもよろしく頼(たの)むな!!」

「えっ!?　どっち見てるんすか!?」

「先生っ‼　手術台は、こっちですよ⁉」

本書は、小説投稿サイト「エブリスタ」が主催する短編小説賞「三行から参加できる　超・妄想コンテスト」入賞作品から、さらに選りすぐりのものを集め、大幅な編集を施したものです。

本書の内容に関してお気づきの点があれば編集部までお知らせください。info@kawade.co.jp

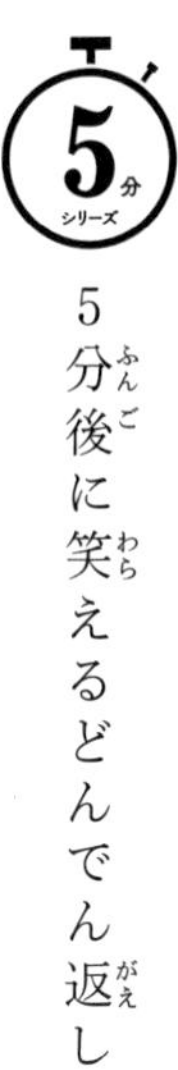

5分後に笑えるどんでん返し

2018年3月20日　初版印刷
2018年3月30日　初版発行

［編　者］エブリスタ
［発行者］小野寺優
［発行所］株式会社河出書房新社
〒一五一－〇〇五一　東京都渋谷区千駄ヶ谷二－三二－二
☎〇三－三四〇四－一二〇一（営業）　〇三－三四〇四－八六一一（編集）
http://www.kawade.co.jp/

［デザイン］BALCOLONY.
［印刷・製本］中央精版印刷株式会社

ISBN978-4-309-61218-8　Printed in Japan

エブリスタ

国内最大級の小説投稿サイト。

小説を書きたい人と読みたい人が出会うプラットフォームとして、これまで200万点以上の作品を配信する。

大手出版社との協業による文芸賞の開催など、ジャンルを問わず多くの新人作家の発掘・プロデュースをおこなっている。

http://estar.jp

「5分シリーズ　刊行にあたって」

今の時代、私たちはみんな忙しい。
動画UPして、SNSに投稿して、
友達みんなに返信して、ニュースの更新チェックして。

そんな細切れの時間の中でも、
たまにはガツンと魂を揺さぶられたいんだ。

5分でも大丈夫。
短い時間でも、人生変わっちゃうぐらい心を動かす、
そんなチカラが小説にはある。

「5分シリーズ」は、
5分で心を動かす超短編小説を
テーマごとに集めたシリーズです。
あなたのココロに、5分間のきらめきを。

エブリスタ×河出書房新社

5分後に涙のラスト

感動するのに、時間はいらない――
過去アプリで運命に逆らう「不変のディザイア」ほか、最高の感動体験8作収録。

ISBN978-4-309-61211-9

5分後に驚愕（きょうがく）のどんでん返し

こんな結末、絶対予想できない――
超能力を持つ男の顛末を描く「私は能力者」ほか、衝撃の体験11作収録。

ISBN978-4-309-61212-6

5分後に戦慄（せんりつ）のラスト

読み終わったら、人間が怖くなった――
隙間を覗かずにはいられない男を描く「隙間」ほか、怒濤の恐怖体験11作収録。

ISBN978-4-309-61213-3

5分後に感動のラスト

ページをめくれば、すぐ涙——
家族の愛を手に入れられなかった男の顚末を描く「ぼくが欲しかったもの。」等計8作。

ISBN978-4-309-61214-0

5分後に後味の悪いラスト

最悪なのに、クセになる——
携帯電話に来た「SOS」から始まる「暇つぶし」ほか、目をふさぎたくなる短篇13作。

ISBN978-4-309-61215-7

5分間で心にしみるストーリー

この短さに込められた、あまりに深い物語——
宇宙船襲来後の家族の絆を描く「リング」ほか、思わず考えさせられる短篇8作収録。

ISBN978-4-309-61216-4

5分後に禁断のラスト

それは、開けてはいけない扉――

復讐に燃える男の決断を描く「7歳の君を、殺すということ」など衝撃の8作収録。

ISBN978-4-309-61217-1